Het geheim van de ruilkinderen

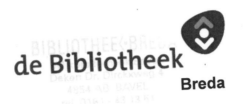

PSSST! Ken jij deze GEHEIM-boeken al?

* Pleun, Isa, Rosa, Marie-Line en Roos wonnen de
GEHEIM-schrijfwedstrijd.
Heb jij een spannend idee voor een boek? Doe mee op
www.geheimvan.nl of **www.leesleeuw.nl**

Wieke van Oordt

Het geheim van de ruilkinderen

Met tekeningen van Saskia Halfmouw

LEOPOLD / AMSTERDAM

De Nederlandse Kinderjury 2009

AVI 8

Eerste druk 2008

© 2008 tekst: Wieke van Oordt

© 2008 omslag en illustraties: Saskia Halfmouw

Omslagontwerp: Rob Galema

Uitgeverij Leopold, Amsterdam / www.leopold.nl

ISBN 978 90 258 5181 1 / NUR 282

Uitgeverij Leopold drukt haar boeken op papier gemaakt met FSC-hout.
Zo helpen we waardevolle oerbossen behouden.

FSC
Mixed Sources
Productgroep uit goed
beheerde bossen en andere
gecontroleerde bronnen.
Cert no. CU-COC-803223
www.fsc.org
© 1996 Forest Stewardship Council

Inhoud

Het prikbord

Jacob staat voor een groot prikbord. Er hangen allemaal briefjes op. Boven het prikbord staat in grote letters geschreven:

> OUDERS RUILEN
>
> BEN JE JE EIGEN OUDERS ZAT? WIL JE ERGENS ANDERS WONEN? HIER KUN JE RUILEN VAN HUIS EN FAMILIE.
>
> LET OP! HOUD JE AAN DE RODE REGELS.

Jacob zucht. Er zit vandaag weer niets voor hem bij. Hij kijkt voor de zekerheid alle briefjes op het bord nog eens na. Deze misschien?

> Ik ben 11 en bied een ruilplek aan. Ik heb vier broers! Ze zijn allemaal ouder dan ik.
> Geert

Vier broers! Je zal maar vier broers hebben. En dan zijn ze nog allemaal ouder dan jij. Die pesten deze Geert zeker, anders zou hij niet zo graag willen ruilen. Daar heeft Jacob geen zin in. Even verder lezen.

GEZOCHT: jongen van 10 jAAR
AANGEBODEN: groot huis, zusje van 6, aardige ouders, werken allebei, heb je weinig last van.   VINCENT

Jacob schudt zijn hoofd. Dat is niet de bedoeling. Ouders die allebei werken. Dan zit hij zeker weer elke middag alleen thuis. Hij zoekt juist ouders die veel tijd met hem kunnen doorbrengen. Die 's middags een appel voor hem schillen als hij uit school komt. Die met hem mee-gaan naar voetballen op zaterdagochtend. Hem elke dag kunnen voorlezen.

Jacob draait zich om en loopt door het donkere gan-getje naar buiten. Even om het hoekje gluren om te kij-ken of iemand hem gezien heeft. Nee, de tuin is leeg. Hij glipt het oude, vervallen huisje uit. Van de week nog maar eens terugkomen om te kijken of er nieuwe briefjes bij hangen. Het moet toch een keer lukken om een ander gezin te vinden waar hij kan gaan wonen.

Thuis vindt Jacob zijn moeder op de bank. Haar hoofd

kan hij niet zien. Dat zit achter de krant verborgen. Hij ziet alleen haar twee handen, die de krant vasthouden. Ze giechelt.

'Wat is er mam? Lees je iets grappigs?'

'Hihi. Ja, er staat een ontzettend leuk stukje in over... over...' Ze maakt haar zin niet af en leest verder.

'Over wat, mam?'

Ze is stil. Jacob kan praten wat hij wil. Hij gaat naast haar zitten. 'Een leuk stukje over wat, mam?'

'Hmm? Over, eh dinges.'

'Dinges? Wat lees je nou, mam?' Jacob trekt aan haar arm. 'Wat is er zo grappig?'

'Ssst. Stil Jacob, ik zit midden in een zin. Even deze pagina uitlezen. Ik heb het zo druk gehad op mijn werk. Als ik thuiskom, wil ik eerst even rustig de krant lezen, dat weet je toch?'

Dat weet hij heel goed. Alleen blijft het nooit bij 'even de krant lezen'. Want na deze pagina komt nog een pagina. En dan nog eentje. Hij moet proberen of hij haar kan wegrukken van de krant. Als hij eens vraagt of ze hem wil voorlezen?

Jacob houdt haar arm vast terwijl hij zegt: 'Goed, lees de pagina maar uit. En mam, wil je mij daarna voorlezen?'

Hij ziet de krant op en neer gaan, alsof deze ja knikt.

'Tuurlijk!' klinkt de stem van zijn moeder. 'Leuk, samen lezen. Maar... straks. Eerst even de krant uitlezen. En het Dinsdags Bijvoegsel. En het Culinair Supplement. Ik denk dat ik nog een halfuurtje bezig ben. Daarna ga ik voorlezen, hoor lieverd. Absoluut. Dan roep ik je onder

aan de trap wel even. Goed?' Ze slaat de bladzijde om.

'Oké.' Daar gaat Jacob niet op wachten. Als ze al ont-houdt om hem te gaan voorlezen, komt ze vast onder-weg naar de trap een ander boek tegen. Want overal in het huis slingeren boeken. Op de trap, op de keukentafel. Jacob zag er gisteren zelfs eentje op de bagagedrager van zijn moeders fiets liggen. Hij loopt de kamer uit en gaat de trap op.

Boven zit zijn vader achter de computer. Hij gaat altijd

gelijk na zijn werk naar de computer. Hij haalt muziek van het internet af. Die zet hij dan op een iPod. Zo kan hij overal naar muziek luisteren. En dat doet hij dan ook. Zijn vader houdt van harde muziek. Het liefst zou hij de stereo op tien zetten en dan hard meezingen. Maar Jacobs moeder heeft een hekel aan muziek.

'Met al die herrie kan ik niet lezen,' zegt ze altijd.

'Maar met al dat lezen kan ik geen herrie maken,' zegt Jacobs vader dan.

En zo kreeg zijn vader voor zijn verjaardag een iPod.

'Hoi pap. Wat ben je aan het doen?' Jacob steekt zijn hoofd om de deur. Stomme vraag.

'Ai diedoe... pom pom...,' neuriet zijn vader. *'How long did you... ai die... pom pom.'*

'Pap!'

'HÉ JACOB. IK ZAG JE NIET STAAN.' Jacobs vader wijst naar zijn oren.

'Je hoeft niet zo te gillen pap. Ik sta gewoon naast je.'

'IK HEB EEN NIEUWE CD!' gilt zijn vader verder.

Jacob trekt het draadje uit het linkeroor van zijn vader. 'Pap, kom je zo wat met me doen, voetballen of zo?'

Zijn vader kijkt hem verstrooid aan. 'Ah. Dat is beter. Ha Jacob!'

'Kom je met me voetballen?'

'Tuurlijk! Even dit cd'tje afluisteren, ja? Ik heb 'm net nieuw op mijn iPod. Nog acht nummers. Ik denk dat ik nog een halfuurtje bezig ben. Maar dan kom ik met je voetballen.' Hij geeft Jacob een knipoog.

Jacob doet de deur van het kamertje dicht. Ja ja, straks.

Jacob stompt tegen zijn kussen. PAF! PAF! Hij wou dat hij tegen zijn ouders durfde te zeggen dat hij zich alleen voelt. Maar hoe pak je zoiets aan? Misschien lachen ze hem uit. Of zeggen ze dat hij zich aanstelt.

Als hij nou eens zelf een briefje op het bord prikt in het ruilhuis… Maar wat zou hij er dan op moeten zetten? *Aangeboden: een moeder die altijd zit te lezen. En een vader die altijd naar muziek zit te luisteren.* Daar komt natuurlijk geen hond op af. Tenzij je het leuk vindt om steeds maar alleen op je kamer te zitten.

Jacob draait zich op zijn rug en trekt het dekbed hoog over zich heen. Hij neemt zich voor om voortaan elke dag even te gaan kijken op het prikbord.

De voetbalwedstrijd

Jacob smeert een boterham. Zijn moeder zit links naast hem aan tafel. In haar ene hand houdt ze een boek vast en in haar andere hand een kopje koffie.

'Ben je iets leuks aan het lezen, mam?'

'Uhuh. Nee, niet leuk. Iets heel spannends.'

'Waar gaat het over?'

'Ja.'

'Ja?' Jacob schudt zijn hoofd. 'Appeldeflappeldie.'

'Precies.'

'Er zit poep op je hoofd.'

Zijn moeder kijkt heel even op. Dan zegt ze: 'Natuurlijk.'

Jacob zucht. Het boek is zo dik als de Gouden Gids. Hij moet er maar niet op rekenen dat ze het vandaag nog uitkrijgt.

Jacobs vader komt de keuken binnen. Hij knikt vrolijk.

'GOEIEMORGEN!' schreeuwt hij. Jacob legt zijn handen plat op tafel. Een vader met draadjes als oren. Kalm blijven.

'WAT BEN JE VROEG OP.'

'Ik heb een voetbalwedstrijd. We beginnen om negen uur.'

'ZUUR? WAT IS ER ZUUR? DE MELK?'

'Nee, ik moet voetballen. Het is zaterdag!'

'HAGELSLAG? IS DE HAGELSLAG ZUUR?'

Jacob maakt een weggooigebaar. Laat maar zitten. Hij propt het laatste stukje boterham in zijn mond en staat op.

'Hier! Speel naar mij!' gilt Jacob naar Daan.

Het is de een-na-laatste voetbalwedstrijd van het seizoen. Als ze deze winnen, komen ze bovenaan te staan.

En dan spelen ze volgende week om de voorlopige eerste plaats. Nog twee weken en een laatste training en dan is het winterstop. Dan kan hij weer maandenlang niet naar voetballen.

'Ik sta vrij!' roept hij nog eens.

Daan kijkt op en trapt de bal naar Jacob.

Opeens komt van opzij een jongen aanrennen van de tegenpartij. Jacob heeft hem niet aan zien komen. De jongen springt tussen Daan en Jacob in. Hij maait de bal weg precies op het moment dat Jacob zijn been uitsteekt om een flinke loeier te geven. Hij wil de bal wegschoppen, maar trapt tegen de enkel van zijn tegenstander.

Ai! De jongen valt. Jacob heeft hem onderuit geschopt.

'Au! Dat deed je expres!'

De jongen ligt op de grond en grijpt naar zijn enkel. De andere jongens komen aanrennen. Ze duwen elkaar. Iedereen bemoeit zich ermee.

'Wat is er gebeurd?'

'Jacob speelde op de bal. Die jongen sprong er zomaar tussen.'

'Niet. Ik zag hem op zijn enkel trappen.'

'Nee! Dat was per ongeluk'.

Voor Jacob het weet, staan de beide elftallen in een kluwen rondom hem en de gevallen jongen. Die kermt van de pijn.

De scheidsrechter komt er ook aan hollen. En achter hem aan komen de vaders en moeders.

'Sep! Wat is er gebeurd!' bast een man tegen de jongen op de grond. Een luide kreun klinkt vanaf het gras.

Jacob krijgt er pijn van in zijn buik.

'Sorry, eh, Sep,' zegt Jacob. 'Ik wilde je...'

'Stil jij!' snauwt de vader.

Jacob deinst achteruit. Het lijkt wel of die man hem wil aanvliegen.

'Nou zeg, u hoeft niet zo uit te vallen. Hij bedoelde het niet zo,' zegt Daans vader tegen de norse man. Hij knikt bemoedigend naar Jacob. Die glimlacht dankbaar terug.

'Je mag wel eens tegen je zoon zeggen dat 'ie beter moet uitkijken,' gromt de man.

Die man denkt dat Daans vader zíjn vader is. Jacob voelt zich trots. Opeens kan het akkefietje hem niet veel meer schelen. Zie je wel. Nu is het net of hij óók een papa langs de lijn heeft.

De man trekt Sep omhoog. 'Kom. Niet aanstellen nu. Opstaan jij.'

'Wat een bullebak,' fluistert Daans vader in Jacobs oor. 'Laat je niet van de wijs brengen, hoor.'

Jacob kijkt hem aan en krijgt nog een knipoog.

Pffwiieet! De scheidsrechter blaast op zijn fluitje. Ze beginnen weer.

Het warme water stroomt over Jacobs rug. Hij sluit zijn ogen en probeert rustig adem te halen. Wat een wedstrijd.

Ze hebben uiteindelijk wel gewonnen met 2-1, maar wat doet dat ertoe? Jacob heeft veel zin om volgende week helemaal niet meer mee te doen. Doordat Daans vader voor hem opkwam, beseft hij juist nog meer dat hij altijd alleen naar voetballen gaat.

'HÉ JACOB! BLIJF JE ONDER DE DOUCHE WONEN?'

Een paar jongens lachen.

'Kijk eens wie er is,' zegt Daan.

Jacob doet de kraan dicht. Het warme water dampt door de kleedkamer. Hij kijkt naar de deur. Daar staat zijn vader!

'HOI!'

De jongens stoten elkaar aan en giechelen.

Jacob wijst gauw naar de draadjes voordat zijn vader weer zo hard gaat praten.

'O ja, vergeten af te doen. Ik kwam toevallig langs. Hier is je handdoek. Sta je in de rust te douchen?'

Weer gelach. Maar zijn vader merkt het niet.

Jacob wordt rood. Zijn vader denkt dat de wedstrijd nog bezig is. En dat hij in de rust staat te douchen! Op zijn dooie gemakkie zeker. Hij grist de handdoek uit de armen van zijn vader.

'Nee meneer Haaksma. We zijn al klaar,' legt Daan uit. 'We hebben met 2 tegen 1 gewonnen. Vet hè?'

Jacobs vader knikt.

'Zo. Nou. Heel... vet.' Hij knikt naar Jacob. 'Kleed je dan maar snel aan, Jacob.' Hij plugt weer in. 'DAN GAAN WE NAAR HUIS.'

Nu bulderen de jongens van het lachen.

Jacob schaamt zich rot. Hij ziet rode sterretjes dansen. Tranen prikken aan de binnenkant van zijn ogen. Hij weet niet hoe snel hij in zijn broek, hemd en schoenen moet stappen. Weg hier. Tegen zijn vader zegt hij: 'Zet dat stomme ding toch eens uit!'

Dan holt hij de kleedkamer uit. Zijn vader laat hij achter.

Een bladwijzer

De bel gaat. Maandagmiddag en school is afgelopen. Jacob slingert zijn tas op tafel en begint zijn schriften en pen erin te stoppen.

'Waarom was je niet op mijn verjaardagsfeestje? Was je ziek?'

Jacob kijkt naar Boris die naast hem is komen staan.

'Verjaardagsfeestje?'

'Ja. Gistermiddag vanaf twee uur. Ik heb een uitnodiging bij je gebracht, hoor. Aan je moeder gegeven. Ze zou 'm voor je op de trap leggen, zei ze.'

Hoe kan dat nou? Zijn moeder moet het vergeten zijn. Jacob voelt zich boos worden. Zijn gedachten bliksemflitsen door zijn hoofd.

'Nou ja. Jammer hoor.' Boris zwaait zijn tas op zijn rug. 'Het was gaaf. We hebben een speurtocht gedaan. En een kampvuur gemaakt. Ik zie je morgen, Jacob.'

Thuisgekomen smijt Jacob boos zijn fiets tegen de heg.

Binnen zit zijn moeder aan de keukentafel. Een krant ligt opengevouwen voor haar.

'Dag Jacob. Alles goed?'

'Nee.'

'Fijn. Pak maar een koekje uit de trommel.'

'Mam!' Jacob loopt naar de tafel en legt zijn hand op de krant. 'Waar is mijn uitnodiging?'

'Lieverd, wat is er zo dringend? Over welke uitnodiging heb je het?'

Jacob gaat wijdbeens voor haar staan en slaat zijn armen over elkaar.

'Denk eens goed na. Wie kwam hier vrijdagmiddag langs met een uitnodiging voor mij?'

Ze trekt haar wenkbrauwen naar beneden. 'Even denken. Wie kwam hier... O, wacht eens! Ja, het was die jongen, hoe heet hij ook alweer, eh...'

'Boris. Hij heet Boris en ik ken hem al sinds de kleuterschool.'

'Ja, precies. Die dus.' Ze glimlacht alsof ze hem enorm heeft geholpen met het oplossen van dit mysterie.

'Waar is die uitnodiging nu?'

Haar gezicht vertrekt. 'Ach, wat heb ik daar nu toch mee gedaan?'

Jacob loopt naar de huiskamer. Hij gaat zelf wel zoeken. Misschien onder een stapel boeken terechtgekomen? Of onder de bank. Hé, wat steekt daar uit? Hij pakt een boek van een plank en slaat het open. Daar ligt de envelop, tussen bladzijde 80 en 81.

Jacob voelt zich razend worden. Hij knijpt in de envelop tot zijn knokkels wit zijn.

'Ze heeft 'm als bladwijzer gebruikt,' sist hij.

Zijn handen trillen. Hij scheurt de envelop in tweeën. Dat lucht op. In vieren. In achten. De snippers dwarrelen door de kamer. Voordat het laatste stukje de grond heeft geraakt, is Jacob alweer naar buiten gestormd. Hij gaat naar het ruilhuis. Hij is het zat. En als er niets bij hangt, maakt hij zelf een briefje. Het is nu of nooit.

Het briefje

Jacob spurt zo hard hij kan naar het oude huisje aan de bosrand. Hij gooit zijn fiets tegen het hek. Goed om zich heen kijken of iemand hem naar binnen ziet gaan. Hij hoopt zo dat er vandaag iets voor hem bij is. Jacob houdt zijn vingers gekruist. Alsjeblieft, alsjeblieft, alsjeblieft.

Zijn ogen vliegen over de briefjes.

Een meisje gezocht. Nee, die valt af.

Ik woon bij mijn oma. Nee, dat is ook geen goed idee. Oma's gaan niet mee voetballen.

Vioolles. Ah jesses, zeker elke week naar muziekles.

Konijnenhok schoonmaken. Bah nee, en dan met je handen in de poepkeutels. Dank je feestelijk. Zijn er ook nog normale gezinnen waar een jongen zoals hij terechtkan?

Dan stoppen zijn ogen. Wat staat daar?

Jacob knippert. Hij leest het briefje heel langzaam nog eens. Dan voelt hij zich helemaal warm worden. Er trekt een rode gloed door zijn lichaam. Zijn armen trillen als hij het briefje van het prikbord haalt.

> JONGEN GEZOCHT om te ruilen
> Mijn ouders willen de hele tijd van alles met me doen. Gek word ik d'r van.
> Ik zoek een rustig gezin. Wie o wie?
>   Hidde

Jacob moet even tegen de muur steunen van opwinding. Dit... dit is het! Dit is het ideale huis. Ouders die van alles met je willen doen! Hij hoeft niet meer alleen naar voetballen. Hij hoeft niet meer op zijn kamer te gaan lezen, omdat zijn ouders met zichzelf bezig zijn. Jacob slikt. Dit is zijn kans.

Hij vouwt het briefje met bevende handen op en stopt het in zijn broekzak. En nu? Hoe zat het ook alweer? Je haalt het briefje dat je kiest van het prikbord en draait het om. Op de achterkant schrijf je dat jij wel met deze persoon wilt ruilen. Dan ga je naar huis en krijg je vanzelf bericht over hoe en wanneer je je moet melden.

En dan... En dan weet Jacob het eigenlijk niet zo precies. Want als kinderen eenmaal geruild hebben, dan kunnen ze niet meer terug. Dan kruip je in de huid van de jongen of het meisje met wie je van ouders ruilt. En dan herkent niemand je meer. Zo staat het in de rode regels.

Er moeten meer kinderen zijn die geruild hebben, maar niemand praat ooit over het ruilhuis. Of over de gevaren ervan. Het is iets wat je helemaal zelf moet beslissen. Of je echt in een ander gezin wilt wonen. En je kunt niet meer terug. Jacob voelt een ballon in zijn buik. Weet hij het zeker? Zal hij het nou wel doen?

Dan haalt hij diep adem. En nog eens. Hij pakt het briefje weer uit zijn broekzak en haalt zijn pen tevoorschijn. Zijn vingers trillen nog een beetje, maar hij schrijft het toch op. Zo. Briefje weer terug op het prikbord. Klaar. Niet meer over nadenken. Het is gebeurd. Jacob knikt en

loopt het gangetje weer door op weg naar buiten. Het is
nu een kwestie van afwachten. De deur klapt achter hem
dicht. En op het prikbord hangt nu zijn antwoord:

Hoi Hidde. Ik heet Jacob.
Ik wil wel met jou ruilen.

De rode regels

Als Jacob thuiskomt ziet hij zijn moeder op de bank zitten. Ze leest een boek. Op de trap kan hij zijn vader horen meezingen: 'All my life...'

Jacob gaat op zijn bed liggen en pakt zijn boek, *De Misdaadmonsters*. Waar was hij ook alweer? O ja. Hij is in zijn boek verdiept als zijn moeder van beneden roept.

'Jacob! Er is post voor je. En dit keer zeg ik het je gelijk, zie je wel.'

Jacob kijkt op. Post voor hem? 'Ik kom!'

Jacob holt de trap af. Bonkerdebonk. Steeds een tree overslaan. Beneden aan de trap staat zijn moeder. Ze houdt een envelop in haar hand. Een rode envelop.

Hij grist hem uit haar handen. 'Dank je.'

'Wat gek,' mompelt zijn moeder. 'Er staat op "Haaksma, Jacob. Strikt geheim." Wat zou dat betekenen?'

'O... gewoon.' Jacob haalt zijn schouders op. 'Het is volgens mij voor het verjaardagsfeestje van Lennart. Die wou een geheime speurtocht of zo.'

Hij voelt zijn gezicht kleuren. Maar zijn moeder loopt alweer terug naar haar boek. Jacob neemt de envelop mee naar buiten. Hij wil hem in alle rust openmaken. Stel je voor dat de brief echt van het ruilhuis komt.

'Ik ga een end fietsen, oké?'

Hij wacht het antwoord niet af.

Jacob zet zijn fiets tegen het hekje bij de bosrand. Hij kijkt naar links. Hij kijkt naar rechts. Niemand in de buurt.

Dan pas maakt hij de rode envelop open. Er zitten twee vellen papier in. Een met zwarte letters. En een met rode letters. Jacob heeft kippenvel. Er lopen tientallen kriebeltjes over zijn lijf. Op dat blad met de rode letters staan natuurlijk de rode regels. Die bewaart hij voor straks. Hij leest eerst de zwarte letters. Er staat:

Naam: Haaksma, Jacob.
Ruilnaam: Van den Berg, Hidde.
Nieuw adres: Roos Vlasmanstraat 14

Ingangsdatum: dinsdag.

Werkwijze: ga op dinsdag om 16.00 uur naar het ruilhuis. KOM NIET TE LAAT. Klop 3x op de deur naast het prikbord. Ga naar binnen en wacht tot het helemaal donker is. Blijf stil staan. Als de rode lamp aangaat, mag je weer naar buiten. Ga dan naar je ruilouders.

Dan pakt Jacob het tweede vel papier. De rode letters zijn net kleine vlammetjes. Ze zwaaien heen en weer over het papier. Hij kan de tekst bijna niet lezen. Iets over je aan de afspraak houden. Van gedaante veranderen. Niet praten met anderen over je ruilplek.

En onderaan staat in hoofdletters: ÉÉN KANS OM TERUG TE KEREN. Jacobs ogen vliegen over de letters. Dat hoeft hij eigenlijk niet te lezen. Hij is nu al zover gekomen, hij gaat nu echt niet meer terug. Het is te laat om te stoppen.

'Au!' Wat is dat? De brief wordt warmer en warmer. Jacob laat hem van schrik op de grond vallen. De brief vat vlam. De hoeken krullen langzaam om, er komt rook vanaf. Jacob kan zijn ogen niet geloven. De brief staat in brand! Moet hij dan toch niet nog even snel lezen over die ene kans om weer naar je eigen ouders terug te kunnen?

Jacob bukt zich en pakt de brief voorzichtig op.

'Au!' De brief is superheet. Hij kan hem niet meer vasthouden. Hij zet zijn schoen op de punt en probeert de laatste regels te lezen. *Rode Knop… voor de zestiende dag… jezelf zijn… eeuwig te laat…*

Paf! Dat is alles wat hij nog kan lezen. Dan grijpt het vuur de brief en brandt het vel papier langzaam weg. Jacob tuurt naar de vlammen tot er niets anders over is dan een klein hoopje grijze as.

De laatste avond

Hoeveel T-shirts zal hij meenemen? Drie? Dat zal wel voldoende zijn. Zijn nieuwe ouders zullen ook wel een wasmachine hebben. En hoeveel broeken? Twee dan maar. Jacob propt de kledingstukken in een tas. Wat sokken erbij. Klaar.

Jacob kijkt om zich heen. Zal hij nog wat speelgoed in de tas doen? Of misschien zijn verzameling lego. Nee, die past er niet in. En de wereldbol die hij voor zijn verjaardag kreeg zal hij ook hier moeten laten. Een paar van zijn lievelingsboeken dan maar?

'Hé Jacob.' De deur van Jacobs kamer gaat open en Lennart stapt over de drempel. Hij kijkt naar de tas op het bed.

'Ga je ergens logeren?'

O nee! Niet nu! Jacob voelt dat hij een kleur krijgt. Hij moet zorgen dat hij Lennart de deur uit krijgt. Paniekerig kijkt hij naar zijn tas.

'Nee. Ja... Nee! Ik stond alleen maar wat kleren uit te zoeken. Kleren die ik niet meer wil.' Hij voelt zijn adem sneller gaan.

Lennart ploft op het bed. 'O ja. Dat moet ik ook wel eens doen. Dan brengt mijn moeder ze naar een goed doel of zo.'

Pffwieh. Dat loopt goed af.

Lennart gooit een voetbal omhoog en vangt hem weer op.

'Zullen we gaan ezelen tegen het muurtje? Ik moet over een halfuur binnen zijn.'

Jacob durft geen ja te zeggen. Stel je voor dat hij zijn geheim eruit flapt tegen Lennart. Dan gaat de ruil misschien niet door. En hij heeft nu besloten om dit te gaan doen. Hij moet doorzetten.

'Nou, kom op Jacob. Zullen we gaan ballen tegen het muurtje?' Lennart kijkt Jacob onderzoekend aan. 'Is er iets? Je hebt helemaal een rode kop, man.'

Jacob schudt zijn hoofd.

'Nee. Er is niks. Maar ik kan niet vanavond. Sorry. Straks, nee... een andere keer. Zullen we morgen afspreken? Ja, morgen kan ik wel.'

Bah, hij lijkt zijn eigen vader of moeder wel. Hij trekt Lennart aan zijn arm van het bed af.

Lennart haalt zijn schouders op.

'Nou goed dan. Ik loop wel even bij Boris langs. Dan zie ik je morgen, oké?'

'Ja, ja. Morgen. Morgen.'

Deur dicht voor de verbaasde ogen van Lennart.

Jacob leunt met zijn rug tegen de muur. Daar staat zijn tas nog op zijn bed. Zijn tas? Ai, wat stom van hem! Dat slaat nergens op. Hij heeft geen tas nodig als hij van ouders gaat ruilen.

Zijn nieuwe ouders zien hem aankomen. Komt opeens hun eigen zoon doodleuk aanwandelen met een tas in zijn handen.

Hallo, ja ik heb wat spulletjes meegenomen, want ik kom hier voortaan wonen.

Hoezo, jij woont hier toch al tien jaar?

Dom, dom, dom. Ruilen betekent ruilen met alles. Van uiterlijk, van huis, van kleren en speelgoed. Jacob gaat gewoon Hiddes leven leiden. En Hidde gaat Jacobs leven leiden.

Jacob pakt als een razende de kleren weer uit en smijt ze in de kast. Hij kijkt nog eens goed naar zijn wereldbol. Jammer hoor. Hij hoopt maar dat Hidde er net zoveel plezier van zal hebben.

En wat voor speelgoed zal hij in Hiddes kamer vinden? Misschien heeft hij wel meer lego dan zijn eigen twee dozen. In ieder geval zal hij wel een computer op zijn kamer hebben. Net als hijzelf.

Jacob rilt van opwinding en nieuwsgierigheid. Hij kan opeens niet meer wachten tot hij geruild is. Wat zal hij nu eens gaan doen? Even computeren dan maar. Het moet een heel gewone avond zijn. En morgen, ja morgen is alles anders.

Ruildag

Het is dinsdag. Jacob is komen lopen naar het ruilhuis. Zijn fiets heeft hij na lang aarzelen thuis laten staan. Want misschien ziet hij Hidde helemaal niet. En dan heeft hij ook geen kans om te vertellen dat zijn fiets tegen het hek staat. Dat zal Hidde wel zien als hij thuiskomt. Thuis. Wat een gek idee. Jacobs huis is dan Hiddes huis.

Jacob grinnikt. Dinsdag ruildag. Het is net zoiets als zaterdag voetbaldag.

Hij loopt de donkere gang door en blijft staan voor het prikbord. Zonder verder na te denken, klopt Jacob drie keer op de deur links naast alle ruilbriefjes.

Hij wacht even.

Er gebeurt niets.

Zal hij nog eens kloppen?

Net wanneer Jacob zijn arm uitsteekt, gaat de deur krakend open. Daarachter is het pikkedonker.

Een beetje zenuwachtig stapt Jacob de ruimte in. Hij kan geen hand voor ogen zien. Hij probeert te voelen waar de muren zijn. Het lijkt wel een soort kast, een kleine kast met koele muren.

Jacob staat stil.

Hij wacht.

Het duurt een paar minuten.

Het lijkt wel een eeuwigheid.

Hij probeert zich de instructies te herinneren. Hij moet helemaal stil blijven staan totdat...

Ploef! Er springt plotseling een rode lamp aan.

Jacob knippert. Zou het al gebeurd zijn? Hij probeert de deur open te duwen. Ja hoor, die zwiept makkelijk open. Hij stapt door de deur en dan staat hij weer voor het prikbord.

Hij kijkt om zich heen. Als hij nu iemand anders is geworden... waar is hij zelf dan gebleven? Waar is die Hidde met wie hij geruild heeft?

'Hallo, Hidde eh... Jacob?' roept hij.

Niemand.

Jacob haalt zijn schouders op. Hidde is zeker via een andere ingang in het ruilhuis gekomen. Het zal wel bij de regels horen dat ze elkaar niet mogen zien. Om te voorkomen dat ze elkaar nog ompraten of zo.

Jacob heeft geen spijt. Hij loopt het tuinhek uit en slaat rechtsaf. Op naar de Roos Vlasmanstraat. Op naar zijn nieuwe ouders.

'Hidde! Ben je daar weer? Gelukkig schat, ik vond al dat je zo lang weg bleef. Papa is al terug van zijn werk.'

Een vreemde mevrouw kijkt Jacob vriendelijk aan. Ze heeft blond kort haar en een gestreepte schort voor. Ze pakt hem bij de arm en trekt hem het huis binnen.

'Kom snel, hier is het lekker warm. Het waait zo ontzettend hard, vind je niet?'

Jacob knikt. 'Ja... mam.'

Hij kijkt even opzij. Hiddes moeder vindt het niet gek dat hij 'mam' tegen haar zegt.

In de gang lopen ze langs een spiegel. Jacob blikt er terloops in. Zijn ademt stokt als hij zijn spiegelbeeld ziet.

Hij verwacht zichzelf te zien. Dat is al tien jaar zo als hij in de spiegel kijkt. Even lijkt het ook of hij daar gewoon in de gang loopt. Hij voelt zich nog Jacob. Maar zijn ogen vertellen hem wat anders. Deze jongen... die kent hij niet. Blond haar en sproeten. Terwijl hij zwart haar heeft. En zeker geen sproeten. Nu beseft hij het. Zijn eigen beeld verdwijnt langzaam uit zijn gedachten. Jacob is weg. Zijn hart vlindert op en neer. Hij is echt Hidde geworden!

Jacob kijkt voorzichtig omlaag. Hij heeft een spijkerbroek aan! Dat is niet zo bijzonder, maar vanochtend heeft hij helemaal geen spijkerbroek aangetrokken. Hij plukt aan zijn trui. Een rode. Ook al niet van hem.

In de huiskamer zit een man op z'n knieën voor een open haard. Hij maakt propjes van een krant.

'Hidde! Je komt als geroepen. Maak jij even propjes?' De man kijkt hem vragend aan.

Jacob knikt.

'Oké... pap.'

'Mooi zo. Hier is de krant. Ik ga de mand met hout bijvullen.'

De vrouw staat bij de deuropening. Ze slaat haar handen ineen.

'De open haard aan! Dat is voor het eerst dit jaar. Ontzettend gezellig. Vind je ook niet, Hidde?' Ze kijkt Jacob aan.

Jacob lacht een beetje. 'Ja... heel gezellig,' antwoordt hij.

'Mooi zo. Ik ga chips en wat te drinken halen. Dan kunnen we mooi een spelletje doen met ons drietjes.'

Jacob staart naar de deur waar zijn nieuwe moeder net door verdwenen is. Hij zucht. Hij kan het bijna niet geloven.

Open haard.

Chips en drinken.

Spelletjes met z'n drietjes.

Jacob voelt een brok in zijn keel. Hij is thuis.

Een lege kamer

'Neem nog wat macaroni.' Hiddes moeder geeft de schaal aan Jacob.

'Ja, lekker, dank ... je.' Gek om zo vertrouwd om te gaan met iemand die je helemaal niet kent.

'Zullen we na het eten verdergaan met FIFA 08?'

Wow! Hidde heeft FIFA 08. En wat nog specialer is: hij speelt het met zijn vader.

'Ja! Vet.' Jacob knijpt een oog dicht. 'Hoe ver zijn we ook alweer? De halve finale…?'

'Nee joh. Die hebben we toch vorige week gehad. Vanavond is het tijd voor de klapper: Barcelona tegen Manchester United.'

Jacob slikt met moeite zijn eten door. Ook nog zijn favoriete teams.

'Zet jij zo maar vast de computer aan. En haal de cd-rom van boven.'

Jacob knippert met zijn ogen. Is dit zijn nieuwe kamer? Is dit de oude kamer van Hidde? Nee, dat kan niet kloppen. Hier staan alleen maar een bed en een kast. Nauwelijks speelgoed, geen bureautje, geen computer. Deze kamer is zeker alleen bedoeld om in te slapen. Jacob draait zich om en loopt de gang weer op.

'Wat is er, Hidde? Jij ging de cd toch halen?'

Daar staat zijn nieuwe moeder op de gang. Ze kijkt hem vriendelijk aan.

Jacob kijkt verlegen terug. 'Eh ja, maar ik dacht dat die op mijn kamer lag.'

'Ja, dat is ook zo.'

Zijn nieuwe moeder stapt langs hem de kamer binnen waar Jacob zojuist uit kwam. Dan moet dat toch zijn slaapkamer zijn. Ze loopt naar de kast en trekt hem open.

Jacob kan niet geloven wat hij ziet. De kast puilt uit van de spelletjes. Meer bord-, denk- en computerspelletjes dan hij ooit bij elkaar heeft gezien.

Zijn nieuwe moeder pakt de cd.

'Kijk eens, hier hadden we 'm de vorige keer opgeborgen. Dat je dat vergeten was!'

Als dit de kamer van Hidde is, denkt Jacob, zou hij dan bijna alleen maar spelletjes hebben? En is de enige computer in huis die oude bak die in de kamer beneden staat?

Jacob bijt op zijn lip. Zal hij een gokje wagen?

'Mam... mag ik een eigen computer op mijn kamer?' Gespannen kijkt hij haar aan. Ze schudt haar hoofd.

'Nee Hidde. Daar hebben we het al zo vaak over gehad. Computeren doe je alleen in de kamer beneden als een van ons erbij is.' Ze kijkt hem een beetje streng aan.

'O ja.'

Jacob loopt overdonderd de trap af. Betekent dat dat hij nooit eens alleen kan spelen? Dit is wel een heel ander huis dan waar hij vandaan komt.

Hij voelt zich zenuwachtig. Dat komt vast omdat alles nog zo nieuw is. Hij moet eerst even doorkrijgen hoe

hier alles gaat. Hoe Hidde met zijn ouders omgaat.

Zijn ouders… Jacob slikt. Hoe zou het met zijn eigen ouders gaan? Zouden ze hem missen? Nee, natuurlijk niet. Er woont nu nog steeds een Jacob bij hen thuis. Maar dit keer eentje die graag alleen is. Dat zal ze goed uitkomen.

Pizza

De volgende avond hebben zijn nieuwe ouders een ver-
rassing.

'We gaan pizza eten.'

Yes! 'Mijn lievelingseten!' roept Jacob. 'Dat weten we
toch, Hidde,' zegt zijn nieuwe vader glimlachend.

Ook toevallig, denkt Jacob. Ach nee, natuurlijk niet.
Alle jongens hebben pizza als lievelingseten.

Ze gaan naar 'Bella Milano' op het Kerkplein. Jacob ging
er ook af en toe met zijn ouders heen als ze geen tijd hadden om te koken. Dan bestelde hij altijd hetzelfde: pizza
pepperoni met extra pepperoni. En extra kaas. En extra
olijven. Net als papa. Ex-papa.

Terwijl zijn nieuwe ouders de menukaart doorlezen,
kijkt Jacob naar buiten. Komt daar Boris aanfietsen met
zijn vader? Zouden ze ook pizza komen eten? Ja! Hij ziet
dat zijn klasgenoot de fiets parkeert voor het restaurant.
Ze stappen naar binnen.

Jacob roept ze enthousiast toe: 'Hoi Boris! Ik ben hier
ook.' Boris houdt zijn pas in terwijl hij naar Jacob kijkt.
Maar dan kijkt hij weer weg en loopt door.

'Ssst. Niet zo hard door het restaurant heen roepen,
Hidde.'

Jacob kijkt Boris met grote ogen na. Waarom zegt hij
hem niet even gedag? Is hij misschien boos dat hij niet

op zijn feestje kwam? Jacob staat op. 'Even een klasgenoot gedag zeggen,' legt hij uit.

Boris staat met zijn vader bij de afhaalbalie te wachten.

'Nemen jullie de pizza mee naar huis? Goed idee. Zeg, ik baalde ontzettend dat ik niet op je feestje kon komen. Mijn moeder heeft de uitnodiging nooit aan mij gegeven. Vergeten. Stom natuurlijk,' zegt Jacob. Hij wijst naar de tafel waar hij zat. 'Wij zitten daar. Deze keer gaan we niet afhalen, maar...' zijn arm bevriest in de lucht. Hij ziet hoe zijn nieuwe ouders hem met open mond zitten aan te gapen. Dan draait hij zich om. Nog zo'n gapend stel voor hem.

Boris' vader buigt zich naar zijn zoon. 'Ken jij deze jongen?' Boris schudt van nee.

Jacob laat zijn arm langzaam weer zakken. Al het bloed stroomt naar zijn gezicht. Wat ongelofelijk stom. Hoe kan hij nou gelijk zo'n fout maken. Hij is nu Hidde.

Boris haalt zijn schouders op en draait zich om.

'Nooit gezien. Doe mij maar een extra grote met ham en ananas, pap.'

Jacob staat als een standbeeld. Wat moet hij nu doen. Zijn rode wangen kloppen. Gewoon maar weer weglopen? Boris vindt hem vast een sukkel.

'Eh, ik moet een bril,' stottert Jacob. Hij weet even niks anders.

'Die hebben ze hier niet,' zegt Boris' vader aardig. 'Hier verkopen ze pizza's. Als ik jou was zou ik morgen met je moeder naar de opticien gaan. Die verkoopt brillen.' Hij knikt naar Hiddes moeder. Boris proest.

Jacob bijt keihard op zijn lip. Hij moet onthouden dat hij Hiddes leven heeft overgenomen. Dat hij niet zomaar iedereen van voor het ruilen kan aanspreken.

'Ik ben Hidde. Ik ben Hidde,' mompelt hij.

'En ik ben Boris. Ik ben Boris. En dat is mijn vader. Mijn vader.' Boris barst nu in lachen uit.

Jacob kijkt naar de grond. Wegwezen hier. Langzaam weglopen en weer aan tafel gaan zitten. Boris' lach schatert door het restaurant.

'Wie was dat, zei je? Een klasgenoot? Is hij nieuw?' Zijn nieuwe moeder vraagt het met een frons.

Jacob frommelt aan zijn servet. Alles wat hij vanavond zegt levert problemen op. Neutraal blijven. Zijn nieuwe vader slaat de menukaart open.

'Laten we maar gaan eten. Wat wil jij op je pizza, Hidde?'

Jacob zucht. Hoe is het mogelijk. Weer zo'n strikvraag. Hidde had beter een gebruiksaanwijzing van zichzelf kunnen achterlaten.

'Hetzelfde als vorige keer, pap.'

'Prima. Dan doen we weer pepperoni.'

Hé! Dat is tenminste goed gegaan. Tevreden kijkt Jacob de tafel rond. Als hij maar blijft opletten.

Roos Vlasmanstraat 14

Alweer een hele week woont Jacob in zijn nieuwe huis. Als hij wakker wordt liggen zijn kleren voor de dag op een stapeltje aan het voeteneinde van zijn bed. Zijn nieuwe moeder doet dingen voor hem die hij vroeger allemaal zelf moest bedenken. Aan de ontbijttafel smeert Jacob zijn boterhammen niet zelf. Dat doen zijn nieuwe ouders.

Zijn nieuwe vader schenkt thee in en zijn nieuwe moeder pakt de tas in.

'Ik heb lekker weer eens smeerleverworst voor je gekocht, Hidde.'

'Nee, dank je wel,' zegt Jacob zonder nadenken. 'Hebben we ook hagelslag?'

'Sinds wanneer lust jij geen smeerleverworst meer?'

O, foutje.

'Mijn smaak is veranderd!'

'Ach ja, dat kan. Weet je nog toen je opeens geen melk meer lustte?'

Zijn schooltas staat al klaar bij de deur. Jacob hoeft nergens aan te denken. Toch kan hij niet zo goed wennen. Het is heerlijk om zoveel aandacht te krijgen, maar hij is nooit meer alleen. En hij weet niet of hij dat nou wel zo leuk vindt. En dan is er nog iets. Hij zou zo graag even naar huis willen. Zijn oude huis. Even kijken of alles goed is. Jacob voelt een raar soort heimwee als hij aan zijn ouders denkt.

'Hidde! Je bent er niet echt bij vandaag, hè? Geef eens antwoord op mijn vraag.' De meester kijkt hem fronsend aan.

Jacob knippert met zijn ogen. De hele klas kijkt hem aan. Ai, waar ging de vraag over?

'Heeft jullie groep het werkstuk al af? Dat moet jij toch weten. Je hebt zelf bedacht dat het over de ontdekkingsreis van Leif Erikson moest gaan!'

Aha! Dat komt nog eens goed uit! Op Jacobs oude school hadden ze het ook over ontdekkingsreizen gehad. Hij schuift heen en weer op zijn stoel.

'Ja, natuurlijk meester, Leif Erikson! Die heeft Noord-Amerika ontdekt.' Jacob knikt enthousiast. Dan ziet hij hoe Sjoerd, die vlak voor hem zit, heftig nee schudt.

'Eh, ik bedoel, die heeft Noord-Amerika...' Sjoerd schudt weer van nee.

'Niet ontdekt?' aarzelt Jacob.

De klas begint te lachen. Een meisje uit het voorste groepje roept: 'Dat kan toch niet, meester. Welke ontdekkingsreiziger is nou beroemd omdat hij iets niet heeft ontdekt?'

Jacob trekt zijn wenkbrauwen op. Wat wil Sjoerd hem nou toch vertellen? Sjoerd wijst naar zijn trui. De trui is felgroen.

Jacob knipoogt. Tuurlijk, dat is het.

'Nee meester, ik weet het weer. Hij heeft Groenland ontdekt!'

Nu giert iedereen van het lachen. De meester kijkt Jacob verbaasd aan.

'Jongens, jongens, stil een beetje. Zo kan 'ie wel weer. Hidde, je zit gewoon maar wat te raden. Wil je me nou echt vertellen dat je niet meer weet waar je werkstuk over gaat?'

Jacob durft niks meer te zeggen. Hoe moet hij weten wat Hidde heeft gedaan met dat werkstuk?

Sjoerd steekt zijn vinger op. 'Meester, Hidde bedoelt dat we het onderwerp van ons werkstuk hebben veranderd. Het gaat nu over zijn vader.'

'Over mijn vader?' zegt Jacob stomverbaasd.

Onmiddellijk begint de klas weer te bulderen van het lachen. Zelfs de meester glimlacht.

Sjoerd zegt gauw: 'Nee, over de vader van Leif Erikson natuurlijk: Erik de Rode. Dat was ook een beroemde ontdekkingsreiziger!'

Jacob kijkt strak op zijn tafel. Laat hij nou maar even niets meer zeggen. Hier kan hij zich niet meer uit redden.

De schoolbel rinkelt. Jacob schrikt ervan. Op zijn nieuwe school denkt hij steeds dat er ergens brand is. Hij pakt zijn tas en stopt er zijn schriften in.

Sjoerd stoot hem aan. 'Wat deed je nou gek, joh.'

'Sorry.'

'Nou ja, geeft niet. Tot morgen, hè.'

En weg is Sjoerd. Hij rent de klas uit en gaat bij een groepje jongens staan op het schoolplein. Jacob loopt er ook naartoe. Ze staan plannen te maken voor vanmiddag.

'Zullen we naar het bos?' roept er een.

'Ja, dan kunnen we de boomhut verder afmaken.'

'Nee, het heeft geregend. Dan is alles nat in het bos. Laten we gaan fietsen naar het plein.'

'Oké, kom op!'

Het groepje stuift uiteen. Een van de jongens roept naar Jacob: 'Ga je ook mee? O nee, je mag zeker weer niet van je moeder.'

Jacob hoort de jongens grinniken. 'Tuurlijk mag ik mee,' zegt hij stoer. Wat is dat nou? Waarom zou hij niet mee mogen fietsen? Ze weten kennelijk meer dan hij.

De jongens kijken hem verbaasd aan.

'Nou, dat zou ik anders eerst maar even aan je moeder vragen,' zegt Sjoerd. 'Ze staat al op je te wachten.'

Jacob kijkt niet. Natuurlijk, ze zal er wel weer staan bij het hek. Zoals elke dag. Ze komt na haar werk gelijk naar school. Ze heeft zijn fiets al in haar hand. Ook zoals elke dag.

Jacob loopt naar haar toe.

'Mam, de jongens gaan fietsen naar het plein. Ik ga met ze mee. Goed? Dan zie ik je vanmiddag weer. Ik ben om vijf uur thuis.'

'O nee,' schrikt zijn nieuwe moeder. 'Helemaal in je eentje?'

'Ik ben niet in mijn eentje. We gaan met een heel stel.' Jacob wijst naar de jongens die op een afstandje staan te kijken.

Maar Hiddes moeder schudt haar hoofd.

'Niks hoor. Het is gevaarlijk, dat crossen. Stel je voor dat je valt! Kom. We gaan naar huis.'

Het groepje jongens loopt het plein af met de fietsen aan de hand. Sjoerd fluistert naar Jacob: 'En? Het mag zeker weer niet, hè?'

Jacob schudt zijn hoofd. Hij heeft zich nog nooit zo alleen gevoeld, zelfs niet bij zijn oude ouders.

Sjoerd geeft hem een klap op zijn schouder.

'Kop op joh, misschien mag je de volgende keer mee. Wat ga je dan doen vanmiddag?'

'We gaan een spelletje doen. Scrabble denk ik.'

Jacobs nieuwe moeder knikt. 'Dat vindt Hidde ook een ontzettend leuk spelletje. Nietwaar?'

Jacob durft niet te zeggen dat hij vandaag even geen zin in spelletjes heeft. Ook niet in Scrabble. Helemaal niet in Scrabble.

'Mwwja,' zegt hij zachtjes.

Thuis kijkt Jacob in zijn slaapkamerkast. Geen sportkleren. Geen sporttas. Hidde voetbalt niet. Hidde zit op geen enkele sport.

Bij het avondeten begint hij erover.

'Mam. Pap. Er zitten wel vijf kinderen uit mijn klas op voetbal.'

Het maakt geen indruk. 'Hmm. Ja, dat weten we toch,' zegt zijn nieuwe vader.

'Maar wij houden niet van sport, Hidde. Het zou echt ongezellig zijn als je steeds naar voetbal moest,' zegt zijn nieuwe moeder.

Jacob bijt op zijn tong. Ongezellig om in een voetbalelftal te zitten? Dat is juist hartstikke gezellig. Jacob slikt zijn teleurstelling weg. Hij moet gewoon nog steeds wennen in zijn nieuwe huis. Dat is het. Dat moet het zijn.

Daar is mama

Stom! Hier moet hij helemaal niet heen. Dit is niet de weg naar zijn nieuwe huis. Jacob trapt op de rem en geeft een ruk aan zijn stuur. Het achterwiel van de fiets slipt.

Jacob zet zijn voeten aan de grond. Hij staat stil. Ze namen vandaag een andere route dan normaal. En daardoor is hij achteloos op de Angstelweg links afgeslagen. Zijn nieuwe moeder fietst verder. Rustig rechtdoor. Ze heeft nog niet in de gaten dat Jacob niet meer achter haar fietst.

Jacob hoort haar praten. Vrolijke, hoge tonen. Iets over de buurvrouw.

Hij kijkt om zich heen. Dit is zijn oude straat! Daar is zijn huis. De auto staat voor de deur. Wat gek. Ze moeten toch werken vandaag?

Jacob rekt zich uit om door de ramen te kunnen kijken. Zit zijn moeder daar op de bank? Hoewel hij haar een paar dagen geleden nog gezien heeft, voelt het alsof het jaren geleden is.

Ja, het is zijn moeder en ze heeft niet eens een boek in haar handen. Jacob voelt het kriebelen in zijn buik. Wat zou er aan de hand zijn?

'Hé, wat moet jij daar!'

Jacob draait zich om. Er staat een jongen voor hem op de stoep. Zijn armen houdt hij strak over elkaar gevouwen. Het is Lennart. Jacob ontspant en glimlacht.

'Wat sta jij naar dat huis te staren. Wou je soms gaan inbreken?'

Jacobs glimlach verdwijnt.

'Wat? Nee, nee... je begrijpt het niet,' stottert hij.

'Zal wel.'

Dit gaat de verkeerde kant op. Hoe kan hij Lennart uitleggen dat hij geen inbreker is?

'Hallo!' De jongens draaien zich om. Daar in de deuropening staat Jacobs moeder. Jacob laat van schrik bijna zijn fiets vallen. Zijn hart slaat over. En voor hij weet wat hij doet roept hij:

'Hoi!'

Ze kijkt hem even aan, maar wendt zich dan weer tot Lennart. Jacob houdt zijn adem in.

'Heb jij misschien een loodgieter gezien? Hij zou om halfvier komen. Ik heb speciaal vanmiddag geruild met een collega zodat ik de deur open kon doen.'

Jacob laat de lucht uit zijn longen ontsnappen.

Lennart schudt zijn hoofd. 'Nee mevrouw Haaksma. Ik heb niemand gezien.' En met half dichtgeknepen ogen erachteraan. 'Behalve deze jongen hier.'

Maar Jacobs moeder gaat alweer naar binnen. 'Ik hoop wel dat hij nog komt,' mompelt ze, terwijl ze de deur achter zich dichtslaat.

Jacob staart naar de dichte deur. Het liefst zou hij weer aanbellen en roepen: ik ben het! Maar hij weet dat dat niet kan. Nooit meer. Hij buigt zijn hoofd. Wanneer zou dit overgaan? Dat verlangen naar zijn eigen ouders?

Jacob stapt weer op zijn fiets. 'Ik zie je nog wel, Lennart.'

Oeps. Dat had hij niet moeten zeggen. Hij schrikt er zelf van en slaat zijn hand voor zijn mond.

Lennarts mond zakt open. Hij laat zijn armen langs zijn lichaam vallen.

'Wat zei je daar?' vraagt hij stomverbaasd. 'Hoe weet jij hoe ik heet?'

Dat gaat Jacob allemaal niet uitleggen. Hij springt op en fietst snel zijn oude straat uit. Op weg naar de Roos Vlasmanstraat. Op de hoek ziet hij zijn nieuwe moeder in hoog tempo op hem afkomen.

'Hiddeman! Je was opeens weg! Ik keek achterom en... waar was je nou toch? Wat was ik ongerust zeg. Kom maar gauw mee naar huis.'

Jacob heeft even geen moed om wat terug te zeggen. Hij knikt maar wat en daar gaan ze weer. Zij voorop, hij erachter. Hij denkt aan zijn moeder. Zijn echte moeder. Hij mist haar.

Alweer spelletjes

'Ik zet de fietsen wel in de schuur.' Jacob pakt de fiets van zijn nieuwe moeder aan.

'Dat is goed, Hiddebeestje.'

Hiddebeestje. Jacob krijgt er zo langzamerhand een punthoofd van. Hij sloft het zijpad af.

Jacob doet de deur van de garage open om zijn fiets erin te zetten. Het is allemaal veel ingewikkelder dan hij dacht. Hij heeft niet zomaar Hiddes lichaam gekregen, maar ook Hiddes leven. Het was misschien makkelijker geweest om ergens blanco te beginnen.

'Acht punten! Dat heb je geweldig gedaan,' zegt Jacobs nieuwe vader. 'Maar nu ben ik aan de beurt. En ik heb een heel lang woord. Kijk maar eens.'

Ze zitten met z'n drieën gebogen over het scrabblebord.

'T... H... E... E... L... I... C... H... T... J... E... Theelichtje. Goed hè?' Trots kijkt Jacobs nieuwe vader in het rond.

Jacob probeert niet in lachen uit te barsten. Theelichtje! Wat een suf woord.

Zijn nieuwe moeder klapt in haar handen. 'O wat knap! Jij komt op de weekladder. Hidde, zet jij je vader maar bovenaan.'

'De weekladder?' Jacob kijkt vragend.

'Daar ligt een pen.' Zijn moeder wuift met haar hand richting de eettafel.

Jacob staat op, pakt de pen van de eettafel en kijkt om zich heen. Wat zou ze bedoelen? Dan valt zijn oog op een prikbord aan de muur. Er hangen vellen papier op. En bovenaan elk vel staat de naam van een spelletje: Scrabble, Cluedo, Triominos, Drie op een rij, Rummikub. En daaronder staat: week 40: mama, week 41: Hidde, week 43: papa.

Jacob kan het nauwelijks geloven. Zal hij vragen of het een grapje is? Hij kijkt om. Kijk Hiddes moeder nou eens fanatiek de scrabblepunten narekenen... En zie haar man de blokjes keurig recht leggen!

Jacob ziet dat Hidde een kei is in Rummikub en Triominos. Allemaal spelletjes met cijfers en rekenen. Hij is minder sterk in woordspelletjes.

Jacob is zelf ook goed in rekenspelletjes. Dat komt goed uit.

'Kom Hidde, we ruimen op. Als jij me helpt, kunnen we nog net voor het eten een nieuwe mand met hout uit de schuur halen.'

Jacob volgt zijn nieuwe vader naar de schuur. Het is al donker buiten en koud. Hiddes vader geeft blokken hout door. Jacob doet zijn taak zwijgend. Hij denkt na.

'Een, twee, drie. We hebben alweer bijna genoeg voor een vuurtje, Hidde.'

Paf! Jacob gooit de blokken in de mand.

'Klaar. Ga je mee naar binnen? Mama wacht op ons.'

Jacob schudt zijn hoofd.

'Nee, ik blijf nog even hier. Ik ga de rest van het hout stapelen.'

'O?' Zijn nieuwe vader kijkt hem onderzoekend aan.

Alsof hij nog nooit zoiets geks heeft gehoord.

'In je eentje hout stapelen? Nou, eh… hm.' Dan haalt hij zijn schouders op. 'Goed dan, jongen. Wel opschieten hoor! We gaan zo eten.'

Jacob stapelt een paar blokken hout op elkaar en gaat er dan bovenop zitten. Hij zucht diep. Heerlijk om alleen te zijn. Hij blijft lekker een tijdje zitten. Even niemand om zich heen.

Daar gaat Hidde!

Ze fietsen met z'n drieën naar het dorp. Boodschappen doen. Jacob weet eigenlijk wel wat leukers te verzinnen op zaterdagochtend. Vandaag voetbalt immers zijn team om de eerste plaats. Maar zijn nieuwe ouders hadden zo stralend voorgesteld om met z'n allen op pad te gaan, dat hij niet had durven weigeren.

Eerst gaan ze naar de bakker. De bakker geeft aan alle kinderen in de winkel een stukje krentenbol.

'En een krentenbol voor Hidde,' hoort hij de bakker zeggen. Hij staat met zijn hand uitgestrekt. Jacob staart hem aan. Krijgt hij nu ook nog…? Daar is hij toch veel te groot voor.

'Hiddevent, pak eens aan,' zegt zijn nieuwe moeder.

Jacob schudt zijn hoofd.

'Nee, dank u. Ik lust geen krentenbollen,' zegt Jacob kortaf. Hij krijgt het er warm van. Zijn nieuwe moeder pakt de krentenbol van de bakker aan.

'Hij bedoelt het niet zo. Dank u, hoor.' En tegen Jacob fluistert ze: 'Ik weet niet wat er deze week allemaal gebeurt, maar jij doet net of je opeens voor van alles en nog wat te groot bent geworden!'

Jacob kijkt haar verhit aan. 'Maar ik bén toch ook al groot, mam.'

Even zegt ze niets, maar dan moet ze lachen en antwoordt: 'Jij bent nog gewoon mijn Hiddetje, hoor.' En ze woelt door zijn haren.

Daar zijn die kriebeltjes weer. Jacob rilt.

Ze stappen weer op de fiets. Moeder voorop, vader achteraan. En Jacob ertussenin.

Ze fietsen het plein over. En dan langs de sportvelden weer terug. Jacobs hart gaat sneller kloppen. Ze komen langs het voetbalveld!

De wedstrijd is volop bezig. Jacob strekt zich uit en probeert te kijken naar de jongens op het veld. Gaat daar Daan? Ja, dat moet hem zijn. Hij neemt de bal mee naar voren en... oei... wat spannend! Net naast geschoten. Langs de lijn juichen de ouders.

Jacob ziet Daans vader. En Lennarts vader.

En dan stokt zijn adem. Daar... daar staan zijn eigen ouders! Allebei. Zijn vader en moeder staan aan de zijlijn en juichen en joelen mee.

'Goed zo, Jacob! Kom op, vooruit! Daar ga je!' hoort hij zijn vader gillen. Jacob weet niet wat hij meemaakt. Hoe kan het dat zijn vader en moeder zomaar op zaterdagochtend zijn meegegaan om naar de voetbalwedstrijd te kijken? Hoe heeft Hidde dat voor elkaar gekregen?

Jacob kijkt weer naar het veld. Daar ziet hij een jongen hollen met de bal. Hij heeft 'm aangespeeld gekregen van Lennart en is nu vlak bij het doel. De jongen heeft zwart haar. Jacob voelt een knoop in zijn maag.

Dat is Hidde.

Nee, dat is Jacob.

Dat is hijzelf.

Pats! Met een enorm hard schot vliegt de bal het doel in. Het is een goal! Meteen daarna fluit de scheidsrechter: 'Pwwffiieet!' Einde van de wedstrijd.

Alle ouders gaan tekeer. Ze schreeuwen en klappen.
Jacobs ouders hollen naar Hidde toe en omhelzen hem.

'Goed gedaan. Fantastisch,' klinkt het.

'Hidde? Kom je nog?' Jacob kijkt op. Hij ziet zijn
nieuwe ouders op hem wachten op de hoek. Langzaam
trapt hij door. Jacob trapt en trapt. Hij voelt opeens niets
meer van de novemberkou. Zijn wangen gloeien. Voordat ze de bocht om gaan, kijkt hij nog een keer om. Hij
kan het niet geloven. Hidde heeft gescoord. En daarna
hebben zijn ouders hem omhelsd. Zomaar, op zaterdagochtend.

Twijfels

Jacob staart uit het raam van zijn slaapkamer. Hij heeft zijn handen in zijn broekzak. De gedachten fladderen in zijn hoofd.

Hoe zou Hidde het bij hem thuis vinden? En wat vinden zijn ouders van hun nieuwe zoon? Misschien zijn ze wel heel blij met Hidde. Want met hun nieuwe zoon gaan ze opeens mee naar sportwedstrijden. Dat hebben ze bij hem nooit gedaan.

En zal hij hier zelf ooit helemaal wennen? Eerst was het nog geweldig om van alles samen te doen. Hij is wel dol op spelletjes, maar dag-in-dag-uit...

Hij wil ook wel eens wat anders. Met vrienden crossen in het bos. Of voetballen. Of gewoon helemaal alleen op zijn kamer zijn. Lekker lezen.

Jacob drukt zijn neus tegen het raam. En er is nog iets. Hij had het nooit gedacht, maar hij mist zijn eigen vader en moeder. Hij voelt zich alleen.

Hij voelt tranen naar boven komen. Maar hij gaat niet huilen. O, nee. Hij woont nu in een huis waar hij volop aandacht krijgt. En dat wilde hij toch? Nou dan. Jacob begrijpt niet waarom hij zich dan toch zo rot voelt.

Wacht eens even. Misschien kan hij teruggaan naar het prikbord. Misschien hangt er een nieuw briefje voor hem. En dan kan hij nog een keer ruilen. En als het daar dan leuker is...

Nee. Nee. Nee. Dat is geen goed plan. Jacob gaat op zijn bed zitten. Want stel je voor dat het in het volgende huis ook weer niet ideaal is. Dat hij zes zussen krijgt. Of dat hij alle klusjes in huis moet doen. En dan zeker na een tijdje weer gaan ruilen. Straks heeft hij in elk gezin in het hele land gewoond. En waar moet hij dán nog naartoe?

Hij kan niet blijven vluchten.

Het wordt tijd dat hij er iets aan doet.

Maar wat?

De ontmoeting

'Psst! Psst!' Jacob zit gehurkt achter een struik. Hij hijgt
nog na van het rennen. Met het smoesje dat hij huiswerk
moet ophalen bij een klasgenoot, is hij even de Roos
Vlasmanstraat ontvlucht. Zo snel hij kon, is hij naar zijn
oude straat gehold. Hij sist naar Hidde, die net aan komt
lopen. Die kijkt om zich heen. Het is al donker aan het
worden, de straatlantaarns zijn net aangegaan.

'Psst. Hier. Ik zit achter de struiken,' fluistert Jacob.

Hidde buigt zich naar hem toe.

'O ja! Nu zie ik het. Waarom zit je daar zo? Ben je je
aan het verstoppen?' zegt hij lachend.

Jacob schudt zijn hoofd.

'Nee. Kijk eens goed. Zie je niet wie ik ben?' Hij steekt
zijn hoofd een beetje boven de struiken uit. Nu is hij in
het licht van de lantaarn goed te zien. De glimlach op het
gezicht van de jongen trekt langzaam weg. Hij wordt
bleek.

Dan zegt hij zachtjes: 'O... ben jij het... Ik bedoel, ik
ben het. Jacob, nee... Hidde.'

Nu staat Jacob op. Ze staan elkaar even aan te kijken.
De straatlantaarn zoemt zacht boven hun hoofden.

Het is een gek gezicht. Het is alsof hij in de spiegel
kijkt. Hij kent de andere jongen goed, maar hij heeft
hem nooit eerder ontmoet.

'Hoi Hidde,' zegt hij.

'Hoi Jacob,' zegt Hidde.

'Heb je een nieuwe jas? Die ken ik niet,' zegt Jacob.

'Ja, klopt. Mijn oude jas, eh, jouw oude jas was versleten. Dat vond mama tenminste. Nee, jouw mama dus.' Hidde grinnikt. 'Poeh, wat ingewikkeld is dit. We moeten elkaar maar niet te vaak tegenkomen.'

Zijn gezicht vertrekt. Hij kijkt schichtig om zich heen: 'Wat kom je trouwens doen? We mogen elkaar niet ontmoeten. Dat staat in de rode regels.'

Jacob schrikt. 'Ja, dat weet ik. Sorry.'

Hij probeert zich te herinneren wat er in de rode regels stond. Het blad vloog zo plotseling in brand dat hij ze nauwelijks heeft kunnen lezen.

'Ik weet het wel, maar ik moest met je praten. Want...' Hij aarzelt even. 'Ik heb je gisteren gezien. Op het voetbalveld. Toen je een doelpunt maakte.' Zijn stem wordt hees. 'En toen papa en mama je omhelsden.'

Hiddes ogen glinsteren vol trots.

'Heb je dat gezien? Dat was gaaf! Ik kreeg de bal van Lennart en nam toen een spurt naar voren. Nou, en toen zat de bal er zomaar in. Ik wist niet eens dat ik kon voetballen. Maar ik heb het wel altijd gehoopt.' Hidde kijkt Jacob stralend aan.

Jacob voelt weer zo'n knoop in zijn buik. Het ziet er naar uit dat Hidde heel gelukkig is bij hem thuis. Kijk hem nu eens vrolijk zijn.

'Maar hoe kan dat nou?' zegt Jacob. 'Hoe kan het nou dat papa en mama bij jou komen kijken? Bij mij hadden ze nooit tijd.'

Hidde knikt. 'Ja, dat klopt. Ik vond het eerst niet zo

leuk bij jullie. Ze zijn wel erg aardig, je ouders, maar het was net alsof ze helemaal geen kind wilden hebben. Ze waren alleen maar met zichzelf bezig. En dan ook nog in hun eentje. Je moeder zat altijd beneden te lezen. En je vader zat altijd boven lawaaiig te zijn. En ik liep daar dan maar een beetje tussenin. Of ik zat op mijn kamer. Ik bedoel, op jouw kamer.'

Ze gaan samen op de stoeprand zitten. Jacob staart naar de tegels.

Hidde gaat door. 'Maar sinds die middag bij de buurman is het allemaal veranderd. Ze zijn echt dol op mij. Eh, op jou dus eigenlijk Jacob. Echt waar. Je hebt toch gezien hoe ze mij kwamen toejuichen gisteren?

Jacob knikt. 'Dat heb ik zeker gezien. Maar hoe heb je dat dan voor elkaar gekregen? Wat is er dan gebeurd bij de buurman? Vertel op.'

'Je hebt een leuke kamer, hoor Jacob,' zegt Hidde. 'Met een gave wereldbol. En veel lego. Maar in m'n eentje vind ik er toch niet zoveel aan. Na een week ging ik eerlijk gezegd mijn eigen ouders missen. De spelletjes bij de open haard.'

Jacob vult aan: 'De lijsten met de weekscores.'

Hidde grinnikt. 'Ja, soms slaan ze wel een beetje door.'

Nu lachen ze allebei.

'Nee, dan jouw moeder. Altijd met haar hoofd in een boek! Ik weet geloof ik niet eens hoe haar gezicht eruitziet. En je vader zit vastgegroeid aan zijn iPod.'

'En allebei zeggen ze altijd: "Tuurlijk kom ik! Straks."'

Jacob tikt Hidde ongeduldig op zijn knie. 'Kom op. Vertel nou hoe dat allemaal veranderde.'

Hidde haalt diep adem. Dan legt hij het uit.

Ik ruil jullie in!

'Het was eergisteren. Ik kwam thuis van school. De buur-man stond gereedschap uit te laden. "Kom je me hel-pen," vroeg hij. Tuurlijk, dat wou ik wel. Het was echt gaaf! Ik zat de rest van de middag bij hem in de garage. Maar opeens kwam de buurvrouw binnen. "Moet jij niet eens naar huis, het is al zes uur!" Ik schrok ervan. Het was allang donker buiten.'

Jacob haalt zijn schouders op. Alsof zijn ouders dat erg zouden vinden...

'Dus ik ben snel naar huis gegaan. Thuisgekomen riep ik "ik ben er hoor, jullie hoeven niet ongerust te zijn!" Maar wat denk je dat ze zeiden?'

Jacob gnuift. Niks natuurlijk. Het zou hem verbazen als ze al hadden gemerkt dat hij er niet was.

'Niks! Ze waren rustig bezig het eten op tafel te zetten. Je moeder met een boek in haar hand en je vader aan het neuriën.' Hidde balt zijn vuisten.

'Ze zeiden niks. Ze keken elkaar aan. "Oh, was je even weg?" zei mama. "Ik was aan het lezen, ik merkte het niet. Ik dacht dat je op je kamer zat." Op mijn kamer! Ik was de hele middag weggeweest en dat hadden ze niet eens gemerkt!'

Jacob knikt. Had hij wel gedacht.

'Daar stond ik. En opeens voelde ik me hartstikke alleen. En heel boos. Ik zag vlammen voor mijn ogen. Ik heb mijn tas op tafel gesmeten. Midden tussen de borden. En ik riep "waarom hebben jullie eigenlijk een kind? Jullie doen nooit wat met me! Als jullie thuiskomen van je werk, gaan jullie allebei iets anders doen. Nooit samen. Of met mij. Ik ga wel ergens anders wonen, kijken of daar wel ouders met tijd zijn. Dan ruil ik gewoon met een andere jongen!"'

Jacob voelt een vlaag van bewondering. Dat hij dat zomaar zei. Maar wacht eens.

'Je hebt het geheim van het ruilhuis toch niet verraden?' vraagt hij.

Hidde schudt zijn hoofd. 'Nee, dat niet. Maar ik stond wel op het punt om dat te doen. Je ouders staarden eerst mij aan. En toen keken ze naar elkaar. Ik riep nog boos: "Kun je lekker in je eentje de hele dag lezen mam. En kun jij in je eentje de hele dag naar muziek luisteren, pap."

Toen begon je moeder te trillen en heeft ze eerst haar boek en daarna de schaal met doperwten op de grond laten vallen. Ze schoten alle kanten op. We vonden twee dagen later nog van die groene dingen in de gang.'

Hidde vertelt hoe ze daarna met z'n drieën hebben zitten praten aan tafel. Over voetbal en lezen, over spelen en muziek. En over hoe ze die dingen niet allemaal meer in hun eentje moeten doen.

'Ik heb ze gezegd dat ik me eenzaam voel in hun huis. Daar was je moeder erg van geschrokken. "We dachten dat alles goed ging," zei ze. "Maar dat kwam omdat niemand er ooit wat over gezegd had."'

Jacob is er even stil van. Dan zegt hij: 'Dus je hebt gezegd hoe je je voelde.'

'Ja.'

'En toen luisterden ze naar je?'

'Ja.'

'En ze hebben je niet uitgelachen?'

'Nee joh.'

'En nu gaan ze mee naar voetballen en zo.'

'Uhuh,' knikt Hidde. 'Ja. Het is bij jou eigenlijk net als bij mij. Alleen andersom. Bij mij laten ze me geen moment met rust. En bij jou laten ze je te veel met rust.'

Jacob probeert na te denken. Heeft hij zelf ooit duidelijk gezegd hoe hij zich voelde? Nee, eigenlijk niet. Van huis ruilen leek hem een beter idee.

'Maar Hidde, als je bij mij thuis zo duidelijk was... waarom heb je dan tegen je eigen ouders nooit zoiets gezegd?'

Hidde tuurt naar de grond. Hij haalt zijn schouders op.

'Dat weet ik niet. Gek hè. Maar pas toen ik bij jou woonde, zag ik hoe het bij mij thuis ging.'

Jacob knikt. Dat vindt hij nou ook.

Dan staat hij op. Hij zet zijn handen in zijn zij en kijkt Hidde vastberaden aan.

'Hidde,' zegt hij. 'Ik wil met je ruilen. Ik wil naar huis.'

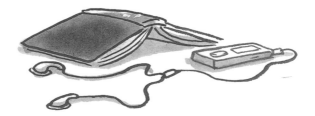

Hidde wil niet

Verward kijkt Hidde naar Jacob.

'Ik... ik weet het niet, hoor,' zegt hij aarzelend.

Jacobs armen vallen langs zijn lichaam.

'Ik weet niet of ik wel terug wil ruilen,' zegt Hidde.

Jacob krimpt in elkaar van schrik. Dit kan Hidde niet menen!

'Maar...' Zijn stem is zacht. Hij durft het bijna niet te vragen. 'Jij wilt toch ook wel terug naar je eigen ouders?'

Hidde kijkt even naar de grond. Dan haalt hij zijn schouders op.

'Eigenlijk niet. Niet zoals het nu is. Ik moet er niet aan denken.'

Bij Jacob stormt het vanbinnen. Alsof alles over elkaar heen buitelt. Als Hidde niet wil ruilen, dan... dan kan hij ook niet terug! Dan zit hij voor de rest van zijn leven in het verkeerde lichaam. En woont hij voor altijd in de Roos Vlasmanstraat.

'Maar Hidde,' zegt hij wanhopig. 'Je ouders zijn heel aardig, echt waar.'

Hidde slaat zijn armen over elkaar.

'Waarom wil je er dan zo graag weg?'

Jacob voelt Hiddes ogen priemen. Paniek golft door hem heen. Nee, nee! Dit mag niet gebeuren. Hij moet Hidde ervan overtuigen dat ze allebei bij hun eigen ouders horen.

'En de gezelligheid dan, de spelletjes? Je miste je ouders toch?'

'Mmm. Ja, maar dat ze zich altijd met alles bemoeien mis ik niet, hoor.'

'Maar als ze nou veranderen. Dat is bij mijn ouders toch ook gebeurd.'

'En hoe zal dat dan gaan? Zomaar vanzelf?'

Jacob hoort de spottende toon in Hiddes stem. Hij zucht. Hidde pakt hem bij zijn schouders.

'Ik heb met jouw ouders gepraat en ze verteld hoe ik me voelde. Dat kun jij ook bij mijn ouders doen.'

'Met jouw ouders... praten?'

Jacob voelt zijn aders kloppen.

'Ja. Jij kunt ervoor zorgen dat alles anders wordt. Er moet bij mij thuis heel wat veranderen.' Hidde telt op zijn vingers.

'Ze moeten me meer met rust laten. Ik wil af en toe alleen naar school en naar huis fietsen. Ik wil in mijn eentje kunnen computeren. Ik wil met vriendjes kunnen spelen. En...' nu pauzeert Hidde even. 'Ik wil op voetballen.'

Jacob weet niet wat hij moet zeggen. Aan de ene kant is hij dolblij, want nu heeft hij een kans. Het is nu aan hem om ervoor te zorgen dat Hiddes ouders ook veranderen. Maar... hoe zal hij het aanpakken?

'Ik ga nu naar huis, Jacob. Het is al laat. Kom overmorgen weer hier. Dan praten we verder.'

Hidde loopt weg. Jacob kijkt hem na. Er rust nu een zware taak op zijn schouders.

Zou dit de uitweg zijn? En, zou hij het kunnen?

66

Een begin

Jacobs nieuwe moeder doet de deur open. Ze wrijft in haar handen.

'Hidde! Daar ben je dan eindelijk, lieve jongen. Waar was je toch? Ik heb je vader gevraagd om eerder van kantoor te komen. Zo ongerust was ik. Ik had je niet alleen naar die klasgenoot moeten laten gaan!'

Ze trekt hem naar binnen. Achter haar staat Jacobs nieuwe vader. Hij pakt Jacobs jas aan en zegt: 'Ja, ik hoorde dat je zomaar wegrende. Dat kan echt niet.'

Jacob hoort het aan. Daar gaan ze weer met hun overdreven gedoe. Hij moet er wat van zeggen. Laten horen wat hij vindt. Kom op. Hidde kon het ook. Hij haalt diep adem. Dan zegt hij heel rustig:

'Waarom niet?'

Zijn nieuwe ouders kijken hem verbaasd aan.

Jacobs nieuwe vader laat van schrik zijn jas op de grond glijden. 'Waarom niet?' herhaalt hij.

Jacob knikt. 'Ik ben al tien, hoor. Het lijkt wel of jullie dat vergeten. En het is pas vijf uur. Omdat het vroeg donker wordt, betekent het nog niet dat het al laat is.'

Hij doet zijn armen over elkaar. Wijdbeens staat hij in de gang en kijkt zijn nieuwe ouders strak aan.

'Nou ja. Voor deze keer dan maar,' sputtert Hiddes moeder. 'Zullen we nu naar de woonkamer gaan? Dan kan jij met je vader verder met FIFA 08.'

Jacob schudt zijn hoofd. 'Ik ga naar boven. Heb vandaag niet zo'n zin in computeren.'

Hij loopt langs Hiddes ouders en gaat de trap op. Het is stil in de gang. Hij voelt dat ze hem nastaren.

'Zeg Hidde,' roept Hiddes vader hem plots achterna.

'Heb je je huiswerk opgehaald?

Verdraaid. Dat is waar ook.

'Eh, ja stom, maar ik had het toch meegenomen. Het ligt gewoon op mijn kamer.'

'O...'

In zijn kamer ploft Jacob op het bed. Hij grinnikt. Wat suf van die tas. Maar tot zover gaat het goed. De kop is eraf. Hij heeft voor het eerst gezegd dat ze hem niet zo kinderachtig moeten behandelen. Het wordt weer donker in zijn hoofd. Hij is er nog lang niet. Nog maar een dag. Overmorgen ziet hij Hidde weer.

Jacob praat

Als Hiddes moeder Jacob de volgende dag van school haalt, fietst hij zwijgend naar huis. Hij negeert haar blikken en gaat gelijk naar zijn kamer. Daar ijsbeert hij van zijn bed naar de deur. Hij denkt na. Nog maar één dag. Het moet vandaag gebeuren. Dit is zijn laatste, nee, zijn enige kans. Maar wat zal hij zeggen? Hij moet een plan verzinnen. Een aanleiding. Maar hij kan niets bedenken...

Pas bij het avondeten ziet hij zijn nieuwe ouders weer. Jacob kan geen hap door zijn keel krijgen. Hoe moet het nu verder? Hij kan toch moeilijk zomaar zeggen: trouwens, ik heb nog een wensenlijstje. Jullie moeten me met rust laten. Ik wil een computer. En ik wil op voetbal. Mooi, dan is dat geregeld. Mag ik nog wat saus?' Ze zien hem aankomen.

'Mag ik nog wat saus?' piept Jacob. Hij kijkt op zijn bord. Twee paar handen reiken hem de schaal aan.

'Alsjeblieft jongen. Zal ik je vlees snijden?'

Zucht. Gek word je van die mensen.

'Nee dank je, mam.'

Wacht! Dat kan duidelijker.

'Ik bedoel, nee, natúúrlijk niet.'

Jacob gaat rechtop zitten en legt zijn vork neer.

'Je gaat papa's vlees toch ook niet in stukjes snijden?'

'Nee, maar... papa is volwassen.'

'Kijk dan!' Jacob pakt zijn mes en tjak tjak. Driftig snijdt hij. Hij ziet dat zijn nieuwe ouders elkaar aankijken.

'Wat is er toch met jou aan de hand, Hidde? Je doet zo boos. En uit de hoogte.' Hiddes moeder zegt het met strakke lippen.

'Zo'n toon willen we hier niet hebben,' vult Hiddes vader aan. 'Het begint behoorlijk te irriteren.'

Jacob probeert rustig te blijven. Dit gaat niet goed. Ze worden boos op hem en dat kan hij er niet bij hebben. Straks moet hij Hidde vertellen dat het mislukt is. Dat zijn ouders nu ook nog kwaad op hem zijn. Niet echt een goede reden voor Hidde om terug te willen ruilen.

'Sorry. Zal ik zo helpen met afwassen?' probeert hij.

Nu glimlacht Hiddes moeder weer.

'Nee hoor. Straks breek je nog wat. Ga maar vast naar de kamer, dan breng ik zo een glas chocomel.'

Chócómél! Donkere wolken boven Jacobs hoofd. Nou is het genoeg geweest. Hidde slaapt in zíjn bed. Bij zíjn ouders. Terwijl hij hier chocomel moet drinken... nee! Jacob schuift met een klap zijn stoel naar achteren. Zijn mes slaat hij op tafel.

'Ik hóúd niet van chocomel! Dat is voor kléúters!'

'Nee hoor. Ik ken zoveel mensen die...' begint Hiddes vader, maar Jacob onderbreekt hem.

'Dat maakt niet uit. Wat ik bedoel is...' hij slikt. 'Jullie behándelen me als een kleuter. En daar heb ik genoeg van.'

Het is stil in de keuken. Jacob kijkt van de een naar de ander. Doorzetten nu.

'Jullie bedoelen het allemaal goed. Dat weet ik wel. Maar zien jullie dan niet dat ik groter word?'

Hiddes moeder is bleek geworden. Jacob probeert zich er niets van aan te trekken.

'Ik wil af en toe met vrienden op straat spelen. Ik wil soms spelletjes met jullie doen. Maar niet altijd. Ik wil boeken kunnen lezen op mijn kamer. En ik wil op voetbal. Je hoeft niet altijd alles met z'n drieën te doen.'

Jacob heeft het er warm van gekregen. Hij voelt dat het nu gaat zoals hij wil.

Zijn nieuwe moeder kijkt of ze bijna gaat flauwvallen.

'Een kleuter...' mompelt ze. 'Ik herinner me die tijd nog zo goed. Ach, ach, wat was jij een lieve kleuter. Je lachte naar iedereen. We waren zo trots op je. We gingen elke zaterdag met je in de buggy boodschappen doen...'

Haar gezicht betrekt.

'Je hebt gelijk! We doen nog steeds alles met je wat we toen ook deden. Plus de spelletjes.'

Jacob knikt. 'Dat is tien jaar maal ongeveer vijftig zaterdagen. Dat is vijfhonderd krentenbollen, mam. Ik word misselijk als ik aan die dingen denk.'

Jacobs nieuwe vader buigt zijn hoofd. Dan zegt hij zachtjes: 'Misschien zijn we wat te beschermend. En moeten we je meer loslaten. Je wordt al zo groot.'

Zijn nieuwe moeder sputtert nog tegen: 'Maar ik ben zo dol op kleine kinderen.'

'Dan moet je in een crèche gaan werken. Of op de kinderafdeling van een ziekenhuis,' zegt Jacob vastberaden. 'Maar straks ben ik achttien en dan zoek je nog mijn kleren uit. Of mag ik van mijn werk nog steeds niet alleen naar huis fietsen van jou.'

Het komt er feller uit dan hij bedoelt. Maar hij weet niet hoe hij anders tot haar door kan dringen. Er staat te veel op het spel. Hij moet zorgen dat Hidde weer terug wil ruilen. Ze schudt langzaam haar hoofd.

'Kleren uitzoeken. Alleen naar huis fietsen. Straks ga je me nog vertellen dat je liever ergens anders woont.' Ze kijkt wanhopig.

Jacob zucht. Maar hij hoeft niet te liegen. 'Nee. Ik woon het liefst bij mijn eigen ouders.'

Ze kijken elkaar aan.

Jacob voelt zich enorm opgelucht. Hij heeft het gedurfd! Hij heeft precies gezegd wat hij voelde. En ze hebben geluisterd. Het zal wel niet gelijk allemaal veranderen, maar dat verwacht hij ook niet.

'Kom op,' zegt hij. 'Ik heb zin in een spelletje. Doen jullie mee?'

Ze beginnen allemaal te lachen. Ook Hiddes moeder.

'En daarna ga ik op internet de voetbalclub opzoeken,' zegt Jacob. 'Misschien kan ik nog voor de winterstop meetrainen.'

Ze lopen samen de kamer in. Dit gaat de goede kant op.

De zestiende dag

'Dus je hebt met ze gepraat?'

Hidde kijkt hem met half dichtgeknepen ogen aan.

'Yep! Ben gewoon gaan zitten en heb precies gezegd wat ik ervan vond,' antwoordt Jacob zelfverzekerd.

Hij hoeft Hidde nu echt niet te gaan vertellen hoe moeilijk hij het vond. Waar het om gaat, is dat het gelukt is.

'Jouw ouders snappen nu dat ze je anders moeten behandelen, Hidde. Meer je eigen gang laten gaan.'

Hidde ziet er nog niet overtuigd uit. Jacob begint zich weer een beetje ongemakkelijk te voelen.

'Hoe weet ik dat het echt waar is? Dat je niet zomaar wat verzint.'

Nee toch. Maar wacht even.

'Hier is het bewijs!' Triomfantelijk vist Jacob een verfrommeld stuk papier uit zijn binnenzak.

'Je lidmaatschap van DVV.'

'DV... wat?'

'Door Vriendschap Vooruit! De voetbalclub, sufferd. Ik heb je gisteravond zelf met je vader aangemeld.'

Nu klaart Hiddes gezicht op.

'Wow...' zegt hij dromerig. 'Dat heb ik al zolang gewild.'

'Dus je wilt nu wel eh, weer terugruilen?'

Jacob durft hem bijna niet aan te kijken. Hij hoort Hidde zuchten.

'Op voetbal... goed. Maar hebben ze ook echt beloofd me meer met rust te laten?'

'Zeker weten. Je fietst voortaan zelf naar school als je wilt.'

'En de computer... ?'

'Die staat op de studeerkamer, voor jou! Het is wel een oude, maar je ouders gaan dit weekend een nieuwe kopen. Voor henzelf beneden.'

'Vriendjes?'

'Mag je naartoe.'

'Spelletjes?'

'Alleen als jij er zin in hebt.'

Hidde is stil.

'O, bijna vergeten. Je krijgt voortaan cola.'

Zou het genoeg zijn? Jacobs handen knijpen in elkaar. 'Doe je het? Wil je ruilen?'

Hiddes hoofd gaat heel langzaam op en neer. Hij knikt!

'Ik mis ze inderdaad wel een beetje. En als jouw ouders kunnen veranderen... waarom de mijne dan niet?'

Het is alsof Jacob tien kilo minder weegt. Ze gaan het proberen! Hij blaast zijn ingehouden adem uit en slaat Hidde opgelucht op zijn schouder.

'Maar... maar de rode regels dan?' zegt Hidde.

'Ja, wat dan met die rode regels?'

Hiddes stem gaat omhoog.

'Daar stond toch iets in over alleen kunnen terugruilen onder bepaalde omstandigheden. Volgens mij kán het niet meer. We kunnen niet meer ruilen.'

'Wacht nou even! Laten we het precies nalezen. Heb jij die brief nog?'

'Nee. Die vloog in brand. Maar was het niet iets met nog terug kunnen voor de zestiende dag? Is die al voorbij? En er was nog iets. Het kan alleen als je echt wilt. En je moet jezelf zijn.'

'Wat?'

'Ik weet ook niet wat het betekent. Maar dat stond erbij. Jezelf zijn.'

Jacob houdt Hidde aan zijn arm vast. Denk na. Denk goed na. Wat had er nou ook alweer precies in gestaan? Iets met een rode knop. En voor de zestiende dag. Jacobs hart maakt een sprongetje.

Hoeveel dagen geleden hebben ze geruild? Op een dinsdag. Dat weet hij nog. Dinsdag ruildag, net als zaterdag voetbaldag. En toen was er een week voorbij gegaan waarin hij het nog leuk had gevonden. Dat is zeven dagen. Daarna had hij die zaterdag Hidde zien voetballen. Dat was op de elfde dag. En nu was het dinsdagmiddag. De veertiende dag!

'Hidde, het is morgen de vijftiende dag! Dat is onze laatste kans, want voor de zestiende dag moeten we geruild hebben. We moeten teruggaan naar het prikbord en de rode knop zien te vinden.'

Ze spreken af elkaar morgen weer te zien. Ze kijken elkaar nog een keer aan, schudden handen en gaan dan op weg naar huis. Jacob holt de straat uit. Het schiet door hem heen. Dit is de laatste keer dat hij als Hidde naar de Roos Vlasmanstraat gaat.

De rode knop

Als de wekker gaat, is Jacob al wakker. Hij staat al een uur aangekleed voor het raam en kijkt naar buiten. Vandaag gaat het gebeuren. Vandaag ruilt hij zijn nieuwe ouders in voor zijn oude. Hij knippert zenuwachtig met zijn ogen. Zou het allemaal wel goed gaan?

Na het ontbijt geeft hij zijn nieuwe moeder een dikke zoen. 'Dag mam. Tot... ziens.'

'Dag Hidde,' zegt ze. Ze kijkt hem met een schuin hoofd aan. 'Je doet alsof we elkaar in geen weken meer zullen zien.'

Jacob heeft nieuwe afspraken gemaakt met Hiddes ouders. Hij fietst nu vaker zelf naar school en hij wordt ook niet meer altijd gehaald. Dan kan hij ook nog eens ergens gaan crossen of voetballen. Dat is de eerste verandering in huize Van den Berg.

Jacob staat al met een been buiten.

'Ik kom niet gelijk naar huis, hoor. Ik ga eerst nog even... fietsen naar het bos. Met eh, Jacob! Dat is een nieuwe vriend.' Hij grinnikt.

Voordat zijn nieuwe moeder antwoord kan geven, trekt hij de deur dicht.

Op school kan Jacob zich niet goed concentreren. De meester schrijft sommen op het bord. Vijf maal vijftien.

Tien procent van honderd. De cijfers draaien voor zijn ogen. Hij is blij als de bel gaat. Deze keer schrikt hij er niet eens van.

Hij sjort zijn fiets uit het rek en sjeest naar het ruilhuisje.

Goed kijken of niemand hem naar binnen ziet gaan. Nee, de kust is veilig.

Nog nahijgend van het harde fietsen staat Jacob in het nauwe gangetje. Waar is Hidde? Hij zal zich toch niet bedacht hebben. Dat zou een ramp zijn. Misschien kan Hidde niet wegkomen. Vroeger zou het niet opvallen als hij het huis uit zou sluipen, maar tegenwoordig wel. Terwijl bij Hiddes ouders dat nu juist makkelijker kan, even in je eentje weggaan.

'Psst! Hé Jacob. Kijk eens hier.'

Jacob kijkt de gang in. Maar het is zo donker dat hij het einde niet goed kan zien. Of wacht eens. Staat daar iemand in die hoek?

'Pssst.'

'Ben jij dat Hidde?'

'Stil joh. Niet mijn naam zeggen. Stel je voor dat iemand ons hoort.'

Nu komt Hidde uit het donkere gedeelte naar voren. Hij ziet er zenuwachtig uit.

Jacob haalt zijn schouders op. 'En wat dan nog?'

'Nou ja, ik moet er niet denken. Wat zal er gebeuren als iemand eerst twee jongens naar binnen ziet gaan en daarna...'

'En daarna weer twee jongens naar buiten ziet gaan,' zegt Jacob.

Even kijkt Hidde hem verbaasd aan. Dan proesten ze het allebei uit.

'O ja,' grinnikt Hidde. 'Daar had ik niet aan gedacht. Als je niet beter weet, zie je gewoon dezelfde jongens.'

Jacob knikt. 'Precies. Dat is ook het mooie ervan.'

Ze staren voor zich uit. Sjonge, eigenlijk toch wel een mooi idee, dat ruilen. Dan schudt Jacob zijn hoofd. Niet meer aan denken. Gewoon nu weer terugruilen en klaar.

'Kom op, aan het werk,' zegt hij beslist. Hij kijkt onderzoekend. 'Waar zit die rode knop?'

De jongens zoeken in de gang. Nergens een knop te vinden. Wel wat krassen op de muur. En een stukje behang. Een paar oude planken op de grond. Er trippelt net een muis overheen. Maar geen rode knop.

'Waar moeten we dan zoeken?'

Jacob stoot Hidde aan. 'Ik heb een idee. We gaan in dat kamertje naast het prikbord. Daar was ook een rode lamp, weet je nog?'

Hidde knikt. 'Dan moet daar vast ook een rode knop zijn.'

De jongens lopen naar het prikbord toe. Ze kijken naar de muur.

'Hoe, hoe kan dat nou?' stamelt Jacob.

'Waar is die deur gebleven?' mompelt Hidde.

Naast het prikbord is geen deur. Alleen een lege, kale muur.

Jacob voelt die kriebeltjes weer. Ze rennen over zijn lijf. Hij krijgt het heel warm. Hoe ruilen andere kinderen dan terug? Of zou dat nooit gebeuren? Wat een ellende dat het zo geheim is. Jacob balt zijn vuisten zo hard dat het pijn doet. Hij heeft al die moeite gedaan. Het mag nu niet mis gaan. Niet nu hij zo dichtbij is. Zo dicht bij huis.

'Kom op Hidde, óveral zoeken. Jij kijkt de hele gang door. Ik onderzoek het huis van buiten.' Hij holt weg.

Die knop moet er toch zijn. Hij moet hem vinden. Straks zit hij voor eeuwig in dit lichaam. Van een jongen die hij helemaal niet is. Die hij helemaal niet wil zijn.

Jacobs ogen springen het huis rond. Bij de voordeur? Nee. Zijn er ramen? Nee, ook al niet. Gek, dat was hem nooit eerder opgevallen. Op de buitenmuren dan. Niets, helemaal niets te vinden. Het zweet gutst nu langs zijn rug. Terwijl het buiten toch erg koud is. Jacob kan zijn adem in wolken zien. Hij rent om het oude huisje heen. Waar is die rode knop?

Dan ziet hij het.

Naast de achterdeur, aan de linkerkant, zit een rode knop. Het lijkt op een deurbel, niets bijzonders. Maar het is absoluut een niet te missen rode knop.

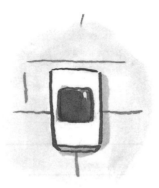

Het lukt niet

De jongens staan voor de deur en kijken naar de knop. En dan kijken ze elkaar aan.

'Durf jij?'

'Ja. Eh... ja.'

Jacob steekt zijn hand uit naar de rode knop.

'Daar gaat 'ie dan. Nog bedankt dat ik een tijdje in je huis mocht wonen,' zegt hij. Zijn stem is een beetje hees.

'Jij ook bedankt.'

Jacob knikt. 'En denk eraan, dinsdag om vier uur trainen we.'

'O ja,' Hidde kijkt dromerig voor zich uit. Jacob trekt hem aan zijn arm. Nu geen minuut meer verspillen. Het is tijd voor actie.

Jacob duwt op de rode knop. Niets. Ze kijken elkaar aan.

'Zal ik nog een keer...' Maar Jacob maakt zijn zin niet af. Want de deur zwaait heel langzaam open. Binnen is het vreselijk donker. Ze kunnen niet zien wat er achter de deur is.

'Kom op, we gaan naar binnen voordat die deur weer dichtgaat.'

Jacob stapt over de drempel. Hidde volgt hem. Als ze in het donker staan, zwaait de deur weer dicht. Nu veel sneller dan toen hij openging. Pats! Met een klap valt de deur in het slot.

'Ik zie geen steek. Waar zijn we hier?'

'Geen idee. Ik voel... een muur. Kan jij wat voelen?'

Stilte.

'Hidde?'

Stilte.

Jacobs hart bonkt in zijn keel. Hij maait met zijn armen om zich heen. Niks te voelen. Hidde is verdwenen. Hij is alleen in het donker.

Zou hij stil moeten blijven staan, net als de vorige keer? Ja, laat hij maar gewoon rustig blijven wachten. Jacob telt in zijn hoofd. Eerst tot zestig. En dan nog een keer tot zestig. Er gebeurt niets.

'Hidde, kom je naar binnen? Laat die houtblokken toch liggen.' Verschrikt probeert Jacob in het donker rond te kijken. Is Hiddes vader hier? Nee toch?

'Hidde, ik heb je fiets al gepakt. Kunnen we samen naar huis fietsen.' En dat is Hiddes moeder! Jacob knijpt zijn ogen dicht. Hoort hij die stemmen in zijn hoofd?

'Jacob, ik kom straks bij je.'

'Jacob, even dit nog afluisteren.' Het komt van alle kanten op hem af. Jacob houdt zijn handen stevig tegen zijn oren geklemd. Hij wil niets meer horen. Alsjeblieft, laat dit achter de rug zijn.

Hij stampt met zijn voeten. Zijn zenuwen maken plaats voor woede. Kom op nou. Wat moet hij nog meer doen? Hij heeft toch precies de rode regels gevolgd?

Oké, hij wil nu wel toegeven dat hij beter niet had kunnen ruilen. Het is kennelijk niet geschikt voor jongens zoals hijzelf en Hidde. Maar mag hij nu wel weer alsjeblieft terug naar wie hij was? Waarom gebeurt er hier niks?

Jezelf zijn. Jacob zet zijn handen aan zijn mond: 'IK WIL NAAR HUIS!'

Hij hoort zijn eigen stem echoën. Het zweet gutst van zijn rug. Hij hijgt als een paard. Om wanhopig van te worden. Het lukt niet. Hij komt hier nooit meer uit. Nog een laatste keer.

'IK BEN HIDDE NIET. IK BEN JACOB!'

Teruggeruild

Dan zwaait de deur opeens weer open. Jacob knippert tegen het licht dat de kamer binnenkomt. Hij houdt zijn handen beschermend schuin boven zijn ogen.

Als de deur helemaal open is, stapt Jacob weer naar buiten. Hij wil nog even in het kamertje kijken, maar daar valt de deur alweer dicht.

Jacob kijkt om zich heen. Hij staat weer buiten. Zijn borst gaat nog zwaar op en neer. Hij rilt in de koude wind. Hij voelt zich afgemat. Hoe lang heeft dit geduurd? Het voelt alsof hij uren binnen is geweest.

Waar zou Hidde zijn? Niemand te zien. Misschien is hij nog in het huis. Jacob draait zich om. Hij staart naar de linkerkant van de dichte deur. De rode knop is weg! Hoe kan dat nu? Jacob knippert met zijn ogen... Het ruilhuis heeft meer geheimen dan hij ooit vermoedde. Maar is het ruilen nou eigenlijk wel gelukt?

Hij kijkt gauw naar beneden. Hij heeft witte gympen aan. Witte gympen! Die heeft Hidde niet. Jacob plukt aan zijn armen. Dat is die nieuwe blauwe winterjas. En zijn haren? Hij blikt gauw in de ruit van een geparkeerde auto naast het huis. Zwart. Hartstikke zwart. En geen sproet te zien.

'Hé Jacob! Wat doe je daar, daar mag je niet komen.'

Er roept iemand naar hem. Jacob ziet een jongen van

zijn fiets afstappen voor de tuin van het ruilhuis. Het is Lennart. Hij zei Jacob! Dat kan maar een ding betekenen.

'Wat? Hoezo? Waarom mag ik hier niet zijn?'

Jacob probeert zijn stem zo gewoon mogelijk te laten klinken. Lennart gebaart naar het roodwit geblokte lint waarvan Jacob nu pas ziet dat het om het tuinhekje zit. En bij het tuinhek staat zijn fiets.

'Kijk, daar staat mijn fiets!' roept hij uit. Lennart kijkt hem verbaasd aan.

'Ja, daar staat je fiets ja. Die heb je daar toch zelf net neergezet? Wat doe je raar.' Hij haalt zijn schouders op. 'Nou ja. In ieder geval mag je daar helemaal niet komen, dat zei ik net toch al. Dat rode lint zit er niet voor niets omheen. Dat oude huisje staat op instorten. Het moet helemaal verbouwd worden.'

Het dringt nauwelijks tot Jacob door wat zijn vriend zegt. Hij springt op zijn fiets.

'Kom je?' Jacob roept achterom naar Lennart, die ook opstapt: 'Ik rij met je mee tot bij jouw huis. Jij woont bij mij in de straat. Wij wonen samen in de Lijsterlaan!' Jacob schreeuwt het bijna.

Lennart schudt zijn hoofd terwijl hij Jacob volgt.

'Ja, ik weet heus wel waar ik woon, dank je. Ben je soms bang dat ik plotseling verdwaal of zo?'

De jongens fietsen samen de straat uit. Jacob lacht nu hardop. 'De Lijsterlaan! Ik ga naar huis!'

Alles is anders

Jacob stapt de keuken binnen. Zijn moeder zit aan de
keukentafel en kijkt op van haar krant.

'Hé Jacob, wat ben je laat. Was je nog spelen
na schooltijd?'

Jacob knikt. 'Ja, ik was... spelen.'

Zijn moeder slaat de krant dicht. Jacob kijkt er verbaasd naar. Zijn moeder die zomaar de krant dichtdoet
zodra hij binnenkomt. Yes!

'Heb je nog brood meegenomen?'

Jacob kijkt haar verschrikt aan. 'Brood? Nee, zou ik
dat meenemen?'

Wacht eens even, dat heeft ze natuurlijk met Hidde
afgesproken. Hij herstelt zich en zegt snel:

'Grapje, mam! Ik was het niet vergeten, hoor. Maar de
bakker had niks meer. Al het brood was al uitverkocht.
Sorry.'

Zijn moeder glimlacht. 'Het geeft niets. Ik heb nog
wel genoeg voor jou om mee te nemen naar school morgen. En je vader en ik eten dan wel een cracker.'

Ze schuift de krant van tafel. Jacob voelt een glimlach
om zijn lippen krullen.

'Zullen we verdergaan met Moskou?'

Jacob kijkt haar vragend aan. 'Moskou?'

Ze staat op en haalt een plank. Daarop ligt een puzzel,

hij is half af. Op de voorkant van de doos ziet Jacob hoe de puzzel moet worden. Het is het Rode Plein, helemaal besneeuwd.

'Moskou,' mompelt hij. 'In duizend stukjes.'

Zijn moeder pakt een puzzelstukje op en begint te zoeken. 'We zijn al een heel end, vind je niet? Kom, help me eens even. We wilden de puzzel toch voor het weekend afhebben?'

Jacob staart. Zijn moeder is kennelijk al de hele week met hem aan het puzzelen. Nou ja, met Hidde natuurlijk eerst. Maar voortaan met hem. Geweldig! Er is hier inderdaad echt iets veranderd in huis.

'Ja, tuurlijk,' glimlacht hij. 'We willen voor het weekend de puzzel afhebben.'

Hij gaat naast haar zitten. Hij is goed in puzzelen. Dat was hij ook al voordat hij twee weken bij het spelletjesgezin van de eeuw had gewoond. Wat heerlijk dat hij thuis is.

Na het eten zegt zijn vader: 'Zullen we een potje voetballen?'

Jacob kijkt hem verbaasd aan. 'Voetballen? Moet je niet nog wat nummers downloaden of zo?'

Krijgt zijn vader nu een kleur of lijkt dat maar zo?

'Nee, dat kan straks nog wel, als jij in bed ligt. Kom op, we doen een wedstrijdje. Wie het eerst tien doelpunten heeft.'

Zijn vader heeft in de tijd dat Jacob er niet was, een doel gemaakt.

Jacob staat al snel dik voor. Als het zeven tegen twee

staat, gaat zijn vader hijgend op de grond zitten.

'Even uitpuffen, Jacob. Sjonge, dat is lang geleden. Ik heb eigenlijk voor het laatst zoveel gevoetbald toen ik zelf een jongen was.'

Jacob dribbelt met de bal om zijn vader heen. 'Morgen weer trainen, hè pap.'

'Ja, jammer dat de wedstrijden zijn afgelopen.'

Jacob kijkt zijn vader verbaasd aan.

'Vind je dat jammer?'

'Ja, eigenlijk wel. Ik vind het heel leuk om te komen kijken, heb ik ontdekt.'

Dan staat zijn vader op, pakt de bal af en schiet hem in het doel.

'Ah! Zeven drie! Je zal zien dat ik je inhaal!'

Ze hollen allebei op de bal af.

Hidde en Jacob

Jacob bukt zich om zijn voetbalschoenen aan te trekken.

'En hier is de kleedkamer,' hoort hij de coach achter zich zeggen. 'Ga je daar maar omkleden. We trainen van vier tot vijf uur. Jacob, kan jij deze jongen even uitleggen waar de douche is? Ik moet terug naar het veld. Tot zo.'

Jacob draait zich om. Daar staat een jongen.

Ongeveer net zo groot als hij.

Met blond haar en sproeten.

'Hidde!' roept Jacob uit.

'Hé Jacob,' zegt Hidde.

'O, kennen jullie elkaar al?' zegt de coach. 'Mooi zo. Vooruit jongens, omkleden dan maar en gauw naar het veld.'

Hij draait zich om en loopt de kleedkamer uit.

Jacob schiet op Hidde af.

'Wat goed dat je er bent!' Hij pakt de hand van Hidde en slingert deze heen en weer.

Achter Hidde steekt een man zijn hoofd om de deur.

'Hidde, ben je klaar? Ik zie je wel na de training, goed? Veel plezier.'

Het is Hiddes vader.

Jacobs ogen worden groter. Hij wil roepen: hoi pap, maar hij bijt op zijn tong.

'O ja,' zegt Hidde. 'Pap, dit is Jacob.'

'O, kennen jullie elkaar al?' vraagt Hiddes vader.

'Mmja,' zegt Hidde schouderophalend.

'Uhuh,' mompelt Jacob.

Hiddes vader kijkt aandachtig naar Jacob. 'Jij hebt iets bekends. Hebben wij elkaar niet al eerder ontmoet, Jacob?' Hij buigt zich een beetje voorover, alsof hij Jacob beter wil bekijken.

Jacob voelt zich rood worden.

'Misschien... heeft u me wel eens langs zien fietsen, meneer. Ik woon niet ver van de Roos Vlasmanstraat,' antwoordt Jacob. Hij durft Hiddes vader niet aan te kijken.

Die gaat weer rechtop staan en zegt verbaasd: 'Hoe weet jij dat wij in de Roos Vlasmanstraat wonen?'

Ai.

'Dat heb ik... dat heeft de coach verteld! Hij zei dat er een jongen in het team zou komen van de Roos Vlasmanstraat.' Dat scheelde een haartje. Alweer opgelost. Jacob neemt zich voor om voortaan goed op te letten.

Hiddes vader knikt nietsvermoedend.

'Juist ja. Dat zal het zijn. Goed dan. Tot straks, jongens.'

Jacob en Hidde kijken elkaar aan. Gelukt! Niemand heeft iets door. En vanaf nu is het ook niet gek dat ze elkaar kennen. Ze zitten toch bij elkaar op voetbal? Nou dan.

'We moeten het nooit aan iemand vertellen, Hidde. Het blijft ons geheim. Van het ruilhuis,' zegt Jacob.

'Nooit,' knikt Hidde.

Jacob geeft Hidde een klap op zijn schouder.

'Kom op joh, kleed je nou eindelijk eens om. Dan laat ik je zien waar het veld is.'

Het geheim van Wieke van Oordt

Ik was negen jaar toen er een nieuw meisje in de buurt kwam wonen. Ze heette Eefje. Ze zat bij mij op school, maar niet in dezelfde klas. Ik zag haar alleen op het schoolplein en 's middags bij het buiten spelen. Ik vond Eefje geweldig. Ze had lang, bruin haar dat heen en weer deinde als ze liep. Ze zat op paardrijden. Ze had twee oudere broers. Ze was gelijk het populairste meisje van de straat. Zij moest wel een fantastisch leven leiden. Met zulk haar. En zulke broers. En al die vriendinnen. En ze kreeg ook al gelijk verkering met Johan. Die durfde ik niet eens gedag te zeggen.

Ah, als ik nu eens een dagje kon ruilen met Eefje. Wat zou dat geweldig zijn. Ik hàd ook een oudere broer. Vriendinnen genoeg. En ik had zelfs ook lang bruin haar! Maar ja... dat haar van Eefje was langer. En haar broers waren ouder. Als ik nou eens Eefje kon zijn, hoe zou ik dat dan vinden?

De fantasie om eens het leven van iemand anders te leiden, is nooit overgegaan. Ik heb dat nog. Als ik nou eens een tijdje met die beroemde actrice zou kunnen ruilen? Gewoon voor een weekje. Of met die super schrijfster. Die slimme professor. Dat mooie fotomodel. Wie zou nou niet even willen ruilen met een ander. Als niemand het zou merken...